El mito del arte y el mito del pueblo

Ticio Escobar

El mito del arte y el mito del pueblo

Cuestiones sobre arte popular

Ariel

Diseño de cubierta: Gustavo Macri
Imagen de tapa: Fernando Allen

Escobar, Ticio
El mito del arte y el mito del pueblo: Cuestiones sobre arte popular -1ª ed.- Ciudad Autónoma de Buenos Aires: Ariel, 2014.
184 pp.; 24x16 cm.

ISBN 978-987-1496-84-6

1. Antropología Cultural. 2. Arte Popular. I. Título.
CDD 306

1ª edición, junio de 2014

Editorial Paidós SAICF
Publicado bajo su sello ARIEL®
Independencia 1682/1686,
Buenos Aires – Argentina
E-mail: difusion@areapaidos.com.ar
www.paidosargentina.com.ar

Queda hecho el depósito que previene la Ley 11.723
Impreso en la Argentina – *Printed in Argentina*

Impreso en Latingrafica,
Rocamora 4161, Ciudad Autónoma de Buenos Aires,
en mayo de 2014.

Tirada: 2.000 ejemplares
ISBN 978-987-1496-84-6

ÍNDICE

PRÓLOGO A LA PRESENTE EDICIÓN

Roberto Amigo

El mito del arte y el mito del pueblo, escrito hace veinticinco años, es el resultado de un momento de detención. Escobar interviene de manera potente en las discusiones centrales de aquellos años sobre la cultura popular en América Latina. Hacia fines de los años setenta, el pensamiento teórico había alcanzado un sostenido desarrollo que explotó en un conjunto de ensayos fundacionales para una teoría del arte latinoamericano; en los años ochenta se publicaron los de Néstor García Canclini, Juan Acha, Jesús Martín-Barbero y Mirko Lauer, entre otros. Escobar comparte con ellos la común problemática de revisar las categorías utilizadas, de plantear la necesidad de elaborar una mirada autónoma que ponga en crisis los conceptos trasplantados. Entonces, pensar la cultura popular era parte de la agenda política, una manera de volver a poner en escena los sectores subalternos. Era un momento político clave, y la lectura de *El mito del arte...* acompañaba las políticas de la transición democrática argentina, que aceleraba el final de los regímenes dictatoriales de la región, regímenes que habían castigado duramente a los sectores subalternos que Escobar ponía como protagonistas.

Así, este libro actúa en medio de la vorágine de las demandas y luchas que anunciaban el fin próximo de la dictadura de Stroessner, pero que no evitaban sus estertores represivos. Se trataba de pensar sobre el destino de la cultura popular bajo el capitalismo, pero Escobar lo hace desde un desplazamiento que es radical, ajeno tanto a la mirada esencialista como a los discursos nacionalistas populares.

Escobar logra poner en juego los factores plurales, las resignificaciones de la cultura popular; para ello es indispensable indagar sobre las posiciones asimétricas de un sector social sobre otro. La cultura popular, entonces, es la de las comunidades indígenas, rurales y suburbanas, la de estos sectores excluidos del Paraguay. Una definición negativa, pero que únicamente desde este punto puede lograr su autoafirmación identitaria. Desde ya, los análisis de Escobar son extensivos al resto de América Latina durante los años ochenta, cuando aún la industria cultural y de la información no había realizado el tremendo impacto tecnológico.

"Pueblo" remite, entonces, a una articulación política, única opción de la defensa identitaria, aún más bajo el stronismo. Para esta articulación es necesario anular el carácter substancial para actuar desde la resignificación y la apropiación de los modelos hegemónicos. Escobar es plenamente consciente de la dificultad de los términos que marcan su interés: mito, arte y pueblo; por ello acepta la oscuridad de los vocablos para que cobren luz solo en el momento en que se activan, es decir, en la relación ofrecida por cada contexto de uso. Mito, arte y pueblo se tornan conceptos históricos, marcadamente contextualizados en la realidad paraguaya. No hay concepto que pueda leerse fuera de las prácticas políticas concretas.

Escobar piensa el arte como un deseo que mantiene la disponibilidad de sentido desde lo furtivo, las ambigüedades. Así, la asociación básica entre emancipación y arte popular es comprendida como uno de los "mitos de la modernidad", aquel que comprende al arte desde el mesianismo vanguardista. Para Escobar, por el contrario, lo popular es bivalente, en el sentido de que es en parte continuidad de convenciones, pero también la posibilidad de que las formas nuevas emerjan, a veces desde la apropiación de las hegemónicas, y de revitalizar las antiguas prácticas. Incluso los rituales, que parecieran a priori prácticas necesariamente conservadoras, se renuevan "contemporáneamente". Esta cuestión, ejemplificada con el caso del Areté Guasú, es clave para el desarrollo teórico del pensamiento de Escobar; es el momento condensador en el cual su teoría se deslumbra y, a la vez, es la fiesta que permite comprenderlo: el propio cuerpo social se representa, elabora su memoria, organiza su experiencia, reinventa las convenciones, fundamenta las certezas, produce sentido, anula de forma efímera las carencias, explica el mundo de otra manera.

Uno de los puntos fuertes del texto consiste en desmontar la visión totalitaria de la nación homogénea, en recordar que su escritura tiene lugar bajo la larga dictadura paraguaya, para privilegiar las divergencias, los conflictos que han sido cubiertos con una "capa de lava" por la acción del Estado nación, pero también, desde otro lado, por el tutelaje cuya máxima expresión son los misioneros religiosos. Ante ello, es central la inclusión de lo indígena como una especificidad del arte popular, con sus propios procedimientos simbólicos.

La compleja trama de contenidos sociales anula la afirmación de lo popular como sinónimo de liberación; es más, "la propia imagen dominada actúa como vehículo de dominación", escribe Escobar. Así, el arte popular es un conjunto de formas estéticas de los sectores subalternos que renuevan el sentido colectivo. Tal vez, el punto de mayor interés de esta definición es que ella desliga la cultura popular –elaboración simbólica de los sectores subalternos– de lo específicamente artístico, ya que una comunidad puede elaborar o no formas en un momento determinado. Aquí, Escobar roza una de las cuestiones centrales para una teoría estética: el origen de las formas, y sobre ello no hay ninguna certeza. Hay un punto en que toda teoría se enfrenta al vacío, a la oscuridad de lo poético. Escobar apela a la estrategia más difícil: ponerse en el lugar del creador indígena. Este acto obliga a desmoronar el confortable aparato crítico heredado, apropiar y resignificar lo que sirva, enfrentarse a la hegemonía: a fin de cuentas, asumir la identidad de ser un teórico subalterno.

Las categorías elaboradas para la comprensión del arte europeo son puestas, desde el inicio del ensayo, en crisis. Pensar otras realidades obliga a desmontar la genealogía occidental que ha determinado lo que es arte, y que para ello ha optado por deslindarlo de la función. Escobar alcanza la parte sustantiva de su argumentación cuando las figuras de desinterés y autenticidad del arte erudito se cotejan con la cultura indígena, donde forma y función están acopladas. Sin duda, la creación indígena es una representación del mundo desde la sensibilidad, que conforma una poética y un replanteamiento de los significados; aún más, es una práctica que cohesiona la comunidad. ¿Podemos definirla con otro término que no sea "arte"?

Las pinturas y los adornos embellecen los cuerpos para la festividad ritual; su análisis en *El mito del arte...* es el primer esbozo de la obra capital de Escobar, cuyo título es una declaración de principios: *La belleza de los otros*. En *El mito del arte...* también se encuentra el salto hacia otra concepción de la historia, formada no en la línea del progreso y el desarrollo, sino actuante desde temporalidades diversas. Esta escritura replegada aparecía, aunque mitigada por la necesidad de relatar el derrotero del arte, en *Una interpretación de las artes visuales en el Paraguay,* pero ahora el pasado se pone en tensión con lo contemporáneo: no es ya una categoría moderna, sino la constante amenaza de la disolución.

Hay otro aspecto que interesa subrayar en este libro inaugural: el estilo ensayístico de Escobar se manifiesta aquí en uno de sus primeros textos de largo aliento. ¿Es posible definir de algún modo esta escritura autoral? La claridad conceptual no anula la poética, sino que se afirma desde la centralidad de las palabras, sin llegar nunca a reducirse a la mera descripción. Hay aquí esbozos del estilo dominante de *La maldición de Nemur,* uno de los escritos recientes más fascinantes de América Latina. Aquí los límites no se desdibujan –esto implica aceptar la división de disciplinas y géneros modernos– porque desde la propia escritura se asume la acción ritual.

Escobar escribe *El mito del arte y el mito del pueblo* desde el conocimiento acumulado por su práctica comunitaria con los indígenas y sus investigaciones de campo.

En este sentido, este texto también debe comprenderse como el programa museológico de la etapa fundacional del Museo del Barro. Pero sobre todas las consideraciones planteadas, este libro es resultado de la generosidad intelectual: la trasmisión del acto en el que un hombre se detiene a poner sus ideas en claro –para luego, con lucidez, contaminarlas– y dejar asentado qué entiende sobre cada palabra que pronuncia. Porque toda palabra pronunciada en esos tumultuosos años ochenta del Paraguay era una posición política.

Abril de 2013

PRESENTACIÓN

Nelly Richard

Categorías impuras y definiciones en suspenso

Publicado en 1987, *El mito del arte y el mito del pueblo* fue el primer libro de Ticio Escobar que me acercó a él. No recuerdo bien quién me recomendó su lectura como un material importante para reconsiderar las relaciones entre lo culto y lo popular en el interior de la problemática latinoamericana. No sé bien si fue Mirko Lauer o Néstor García Canclini, ambos autores, por lo demás, citados en la discusión del texto de Ticio: el primero, con su libro *Crítica de la artesanía,* del año 1982; y el segundo, con textos del año 1989 sobre culturas populares en el capitalismo, preparatorios de *Culturas híbridas*.

El mito del arte y el mito del pueblo se inscribe en una constelación teórica de textos que, junto con el ya mencionado *Culturas híbridas* de García Canclini y a *De los medios a las mediaciones* de Jesús Martín-Barbero, cambian el giro de la teoría cultural latinoamericana en la década de los ochenta.

¿En qué consiste este cambio de giro teórico cultural de los años ochenta del que participa este libro? En partir del supuesto de que las categorías tradicionales de lo nacional y lo continental se fragmentaron bajo los efectos disolventes de la mundialización económica y la globalización comunicativa. En articular nuevas definiciones socioculturales de las identidades en América Latina, ya no fundamentadas en un repertorio fijo de los símbolos cohesivos (Pueblo, Tradición, Estado, Nación, etcétera) que sustancializaba el latinoamericanismo de los años sesenta. En postular la hibridez transcultural como el rasgo de una cultura de la fragmentación, la apropiación y la resignificación, que recombina vocabularios e identidades mediante procesos de translocalización neoculturales y económico comunicativos. En dejar en claro que el eje centro/periferia ha dejado de basarse en localizaciones fijas y polaridades homogéneas opuestas por enfrentamientos lineales.

La teoría de la "dependencia cultural", que dominó la escena político intelectual de los años sesenta en América Latina con su crítica antiimperialista a la norteamericanización del consumo, nos hablaba de un esquema binario de jerarquía y subordinación entre Primer Mundo y Tercer Mundo, desarrollo y subdesarrollo, Norte y Sur, etcétera. La lengua electrónica de la globalización capitalista llevó ese esquema a la rediagramación de circuitos y fronteras según una red multicentrada que impide hoy que la relación entre territorio e identidad –antes constitutiva de la "nacionalidad"– se siga pensando como homogénea y estable. Este libro de Ticio Escobar sabe que la red massmediática ha producido un vértigo desterritorializador capaz de llevar lo "propio" a resemantizarse en la mezcla de lo autóctono con lo foráneo, de lo local con lo mundial, etcétera. Los efectos desestabilizadores de esta mezcla, que atenta contra los mitos de lo nacional y de lo continental, generan actitudes reactivas y defensivas bajo la forma de nacionalismos, integrismos y fundamentalismos, motivados todos ellos por la nostalgia hacia una escena primaria de identidades y culturas vírgenes, de rescate étnico de fuentes primigenias.

Ticio Escobar, en su análisis del arte popular, nunca cede a la tentación metafísica de la "autenticidad" como pureza originaria de algo no contaminado por los tráficos de signos. El autor se hace cargo de la palabra "hibridez" para hablar de cruces y revoltijos, de transculturaciones, en un sentido distinto al modo en que el latinoamericanismo de la tradición hablaba de sincretismos y mestizajes, aludiendo sobre todo al primer cruce étnico entre el conquistador español y la mujer indígena. La acentuación multiculturalista de lo híbrido ya no se resume a ese cruce fundacional entre cuerpos y razas que ocurría en un pasado remoto. Alude sobre todo a los mestizajes diarios de lenguas, símbolos, temporalidades y contextos que se realizan ya no en la historicidad del tiempo, sino en la simultaneidad del espacio, cuando la ciudad, la moda y la televisión revuelven lo transnacional con lo nacional, lo popular con lo masivo, lo folclórico con lo turístico, lo arcaico con lo moderno, lo premoderno con lo posindustrial, lo oral con lo telecomunicativo, etcétera. Escobar estaría de acuerdo con el antropólogo James Clifford, quien señala que la "autenticidad" de una cultura (lo que esta tiene de singular y distintivo) no se deposita nostálgicamente en una *sustancialidad*, en una esencia fija e invariable de lo tradicional popular, sino que ella depende de una *relacionalidad*: es decir, de las tácticas que esta cultura inventa para yuxtaponer o contraponer signos pertenecientes a contextos plurales en un collage heterogéneo de asimilaciones y rechazos. La "autenticidad" de una cultura, a diferencia de lo que piensa el romanticismo folclórico de lo primitivo, no consiste en la repetición monótona de un pasado conservado en estado de virginidad y pureza; surge en la contingencia de procesos de traducción, selección y readecuación de enunciados culturales en tránsito, cuyos signos –móviles y plurales– reinventan memorias y tradiciones al cruzar dialógicamente lo propio y lo ajeno, lo dominante y lo residual, lo hegemónico y lo contestatario.

Las críticas del idealismo metafísico que desacralizaron el mito de lo latinoamericano fundado en una plenitud del origen (críticas que este libro asume teóricamente), también afectaron otras categorías y emblemas que le eran asociados, como, por ejemplo, lo "nacional popular". Ticio Escobar discute el "mito del pueblo" como totalización simbólica de una identidad esencial –indivisible–, que preexistiría a la historia de las disputas y negociaciones que surcan los procesos de dominación y resistencia forjados por lo hegemónico. Lo "popular" no señala en este libro el sustrato fundante de una identidad invariable que la historia de la opresión dotaría de cualidades inherentemente liberadoras. La dominación no se ejerce de modo uniforme desde un centro fijo a través de una sujeción lineal, sino mediante líneas bifurcadas de conflictos y antagonismos que segmentan las identidades haciéndolas plurales, combinadas y discontinuas. Abierto a las contingencias de estos procesos de identidades móviles, Ticio Escobar usa

> el término "popular" para nombrar la posición asimétrica de ciertos sectores con relación a otros y considerando los factores plurales que intervienen en las situaciones de subordinación. Estas, a su vez, son entendidas a partir de distintas formas de opresión, explotación, marginación o discriminación realizadas en diferentes ámbitos (políticos, económicos, culturales, sociales, religiosos, etcétera) en perjuicio de sectores que resultan, así, excluidos de una participación efectiva en cualquiera de tales ámbitos.

Esta no clausura de lo "popular" en un esencialismo de clase, centralizado en una identidad homogénea, permite entender el sustrato polémico con que este libro se opone a los sustancialismos y fundamentalismos de lo "nacional popular" que el discurso de la izquierda latinoamericana ha erigido en dogma revolucionario.

Decíamos que las cartografías del poder se han complejizado haciendo que las líneas de jerarquía y subordinación entre lo metropolitano y lo periférico se volvieran más porosas –y también más borrosas– que antes. Pero esto no quiere decir que haya desaparecido el régimen de asimetrías y desigualdades del poder cultural que estría las distintas localidades de producciones artísticas y operaciones teóricas. Frente a un mercado académico internacionalizado que subsume la diferencia latinoamericana en el formato homogeneizante del latinoamericanismo, Ticio Escobar –desde Paraguay como descampado– nunca ha renunciado a la áspera localidad sociohistórica que le toca habitar. "No resulta necesario aclarar que el Paraguay es un país duro de vivir", nos dice el autor en el prólogo a la segunda edición del libro. Sin lugar a dudas, esta marca áspera y rugosa de lo local periférico dota a su proyecto teórico de un sello de compromiso intelectual que se resiste a los vocabularios globalizados de la industria universitaria que homologa y cataloga. Pero, en sus libros, Escobar no usa la retórica denunciatista y contestataria del reclamo periférico, de la queja tercermundista, para testimoniar del "país duro de vivir". Usa la periferia como un sitio afirmativo y deconstructivo a la vez, que combina la pertenencia de lugar (Paraguay, América Latina) con la movilidad táctica de un giro de contextos que conjuga la especificidad y el desplazamiento.

El prólogo de esta segunda edición nos dice también que *El mito del arte...* fue escrito durante la dictadura de Alfredo Stroessner (1954–1989), que "se basaba en rigurosos sistemas de represión y censura, de modo que la escritura del libro, por más que osara nombrar algunas figuras innombrables, hubo de recurrir a prudentes rodeos y omisiones". ¿Cómo no recordar la oblicuidad de los lenguajes con los que, durante la dictadura, las artes visuales en Chile sorteaban los límites de la censura, recurriendo ejemplarmente a la elipsis y la metáfora? Ticio Escobar armó su producción teórica en un contexto tan restrictivo y coercitivo como el que vivimos aquí durante el régimen militar; usó los mismos subterfugios retóricos que nosotros para condenar la violencia homicida sin recibir el castigo a los cuerpos y al lenguaje; se interesó, al igual que yo, por aquellas producciones de signos que usaban el enigma del pliegue y del doblez para figurar en secreto la negatividad refractaria del sentido rebelde, insumiso. La correlación histórica de estos tiempos de dictadura militar que debimos enfrentar, desde Paraguay y desde Chile, forjó entre Ticio y yo una solidaridad teórica y política en torno a las exigencias del pensamiento crítico de la que me siento orgullosa. Aún más, cuando expresamos las mismas desilusiones frente al pacto entre redemocratización y neoliberalismo que acompañó los procesos de transición en el Cono Sur, y criticamos –ambos– el modo en que el arte y la cultura renunciaban a su rigor intransigente para dejarse engañar por los brillos mediáticos de lo tecnocultural y el relajo publicitario.

Este libro desmonumentaliza el "mito" y el "pueblo". ¿Y qué ocurre con el arte? Su autor no deja que el arte se encierre en la definición fija a la que busca amarrarlo la convencionalidad filosófico estética de una idealidad trascendente de la forma. El arte vibra, con todas sus paradojas y ambigüedades, en el límite entre las autoexigencias de la forma, por un lado y, por otro, la dimensión sociohistórica y político cultural de una producción de signos cuyo materialismo crítico refuta el idealismo metafísico del arte contemplativo. Este libro –al igual que otros del mismo autor– mantiene la categoría de "arte" en suspenso, ubicándola en los bordes fluctuantes de una conceptualidad teórica que se vale de la indeterminación para socavar el lenguaje tranquilizador de las certezas absolutas.

Dije, en el comienzo de este texto, que el libro que presentamos hoy marcó mi primer acercamiento a su autor. He tenido el privilegio de que este primer contacto de lectura –hace ya casi veinte años– haya sido el inicio no solo de una maravillosa y larga amistad, sino también de un diálogo intelectual siempre renovado. Y uno de los hilos de este diálogo fecundo que comparto con Ticio en varias latitudes ha tenido que ver con una defensa común de lo que entendemos (creo) por lo crítico y lo político en el arte. Sin renunciar a lo ideológico cultural como escenario de poderes y resistencias, el autor privilegia los temblores de la forma y las perturbaciones del sentido. A ambos (creo) nos ha interesado subrayar cómo la fuerza de extrañamiento y descentramiento de lo estético perturba los guiones tecnooperacionales de la cultura de mercado. En sus reflexiones –posteriores a este libro– sobre la memoria en los contextos posdictatoriales de transición democrática, Escobar ha insistido una y otra vez en cómo lo estético –con sus símbolos rotos y sus desarmaduras de lenguaje– sabe recoger lo convulso: todo aquello –residual y divergente– que el pacto disciplinador del consenso quiere borrar de las pantallas de su "sociedad transparente" negando la opacidad refractaria del desecho.

En ninguno de sus escritos posteriores Escobar ha dejado de encargarle al arte la misión de recorrer los huecos del discurso social y sus fallas de la significación, para que lo trunco, lo oscurecido y lo beligerante proyecten sus sombras de disconformidad, de irreconciliación, en los discursos satisfechos del mercado y de la cultura neoliberales. Ahuecamientos de la forma, hendiduras y rasgaduras del concepto, fugas y exilios de la palabra: en torno a las vacilaciones y oscilaciones de la palabra "arte"; esto es lo que comparto apasionadamente con Ticio Escobar.

Santiago de Chile, abril de 2008

PRÓLOGO DEL AUTOR A LA SEGUNDA EDICIÓN

Introducción

Revisar con criterio editorial una obra propia escrita hace más de veinte años resulta una tarea complicada: *El mito del arte y el mito del pueblo* fue redactado entre 1985 y 1986 en el contexto de circunstancias históricas muy diferentes a las actuales, pero también en la escena de un debate que a lo largo de dos décadas ha desplazado perspectivas e incorporado otras cuestiones. Creo que, a pesar de estos cambios (o, incluso, en razón de ellos mismos) puede resultar útil reeditar un texto que traduce (a su manera) el estado de aquel debate y arriesga una interpretación del lugar del arte en un terreno poco claro.

El trabajo de revisión se vio dificultado, además, por el intento de respetar el sentido de la primera edición, su valor documental y su carácter testimonial de época. Por eso, este reajuste editorial se limitó a realizar correcciones e introducir aclaraciones y reordenamientos mínimos del material, cuidando que esas intervenciones no alterasen el contenido de la publicación de 1987, ni modificasen el estilo de su escritura. Se ha circunscrito, así, a abreviar algunos párrafos, aligerar en ciertos puntos la sintaxis y agregar determinados subtítulos. También se han añadido notas aclaratorias de situaciones históricas muy coyunturales, así como datos relativos a cambios ocurridos luego de la primera publicación. En lo posible, se han conservado las fotografías originales, pero ante la pérdida de algunas de ellas y la oportunidad de contar con nuevas imágenes que aportasen a la ilustración del tema, se ha optado por incluir también estas.

Por último, este prólogo vuelve sobre algunos conceptos empleados en el texto original desde la perspectiva de pensamientos posteriores y destaca cuestiones que, esbozadas de manera incipiente en aquel texto, adquieren interés en la discusión contemporánea sobre el tema.

La escena propia

El mito del arte... fue escrito durante la dictadura de Alfredo Stroessner (1954-1989); el fatídico régimen se encontraba ya a pocos años de su fin, pero entonces no se intuía su tan deseado derrocamiento: el mito de la dictadura hacía que fuera percibido como eterno. Ya se sabe que el gobierno militar stroessnerista se basaba en rigurosos sistemas de represión y censura, de modo que la escritura del libro, por más que osara nombrar algunas figuras innombrables, hubo de recurrir a prudentes rodeos y omisiones. Quiero ilustrar esta situación con un solo caso: la referencia bibliográfica del libro de Giuseppe Prestipino titulado *La controversia estética en el marxismo* tuvo que ser amputada, de modo que "en el marxismo" quedó afuera. Quise conservar la cicatriz de esa mutilación –que en cualquier otra circunstancia constituiría un atentado al rigor académico– como una pieza pequeña de la memoria: un gesto de testimonio personal de las frases calladas, las palabras prohibidas y los libros quemados, confiscados o enterrados durante esas décadas demasiado largas. No es casual que la portada correspondiente a la primera edición, diseñada por Osvaldo Salerno, se encontrara ilustrada con la imagen de un grafiti callejero censurado: las tupidas manchas negras pintadas por la policía aparecían sofocando las cifras propiciatorias del clamor o la esperanza.

En 1982 yo había publicado un libro, *Una interpretación de las artes visuales en el Paraguay*, cuya escritura me llevó a enfrentar la cuestión del arte popular: sus imágenes tenían (siguen teniendo) una presencia tan fuerte que se volvía inevitable considerarlas a la hora de hablar de arte. No resulta necesario aclarar que el Paraguay es un país duro de vivir. Pero tiene sus compensaciones: una de ellas consiste en la periódica eclosión de antiguas formas desconocidas, consideradas extinguidas o ignoradas por los estudios de la cultura (no digamos ya del arte). Entre 1984 y 1986, quienes estábamos trabajando en el Museo del Barro, inaugurado pocos años antes, tuvimos acceso ("descubrimos" es la palabra, aunque suene pretenciosa) a rituales potentes que, en *Una interpretación...*, figuraban como perecidos: la desmesurada ceremonia de los ishir, el ritual de los chiriguano guaraní y las celebraciones de los *kambá ra'angá*, los enmascarados ceremoniales. La primera de estas representaciones estaba consignada por la etnografía académica como desaparecida en 1954; las otras dos figuraban rutinariamente registradas por los calendarios oficiales "de fiestas", como carnaval la una y como festividad religiosa patronal la otra (o las otras, porque son varias), desprovistos ambos casos de esplendor escénico, carentes de la belleza bárbara del rito: privados del aura que por sentencia benjaminiana les corresponde. Como se verá, el encuentro con estas manifestaciones marca de manera significativa el discurso del libro; se vuelve argumento central de un concepto de arte que, desde su diferencia, conserva extrañamente el esquema básico de la definición ilustrada del arte: esa manipulación de formas sensibles que perturba la producción del sentido. Ninguna otra expresión cultural se acerca tanto a ese modelo de arte heredado de la Ilustración, y ese hecho resulta inquietante y pide ser explorado.

La consideración de las formas populares (mestizas e indígenas) como genuinas expresiones de arte tuvo alcances mucho más amplios que la redacción del texto ahora reeditado: sirvió de libreto museológico al Centro de Artes Visuales/Museo del Barro de Asunción, que progresivamente fue articulando sus acervos distintos hasta presentar, en pie de igualdad, el arte indígena, el popular y el ilustrado como momentos diferentes de la producción artística desarrollada en el Paraguay. Es decir, las piezas populares e indígenas no están mostradas en clave etnográfica, folclórica o histórica, sino estrictamente artística, aunque su puesta en exhibición se encuentre abierta a la pragmática social de los sectores indígenas y populares a través de distintas instancias de mediación.

El pueblo, lo popular

Desligado de todo anclaje sustancialista y acoplado a los conceptos de "cultura" y de "arte", en este texto el término "pueblo" se presta más a ser empleado como un adjetivo –lo "popular"– que como un nombre. En sentido amplio, dicho término designa los sectores subalternos, "los de abajo": los excluidos de poder, participación y representación plenos. Razones que luego serán expuestas determinan que en *El mito del arte...* el concepto de pueblo se restrinja sobre todo a las comunidades indígenas y los sectores rurales o suburbanos, aunque, en principio, se encuentre dispuesto a designar genéricamente el campo amplio de lo nohegemónico. Por eso, de entrada, el concepto se refiere más a un locus, un espacio cruzado por actores diferentes, que a un sujeto único dotado de cualidades inherentes. También por eso, aunque se emplee el concepto gramsciano de hegemonía para ubicar la categoría de lo popular, esta no corresponde a la totalidad orgánica y coherente bajo la cual concebía Gramsci una posible cultura popular: como se verá, uno de los mayores desafíos de aquellos sectores dispersos se encuentra marcado, justamente, por la necesidad de su articulación de cara a la construcción de un espacio público.

Amenazado de desalojo por la posmodernidad, como lo fueran todos los grandes conceptos, hoy el de pueblo reaparece en el debate teórico bajo formulaciones que oscilan desde la de Laclau (2005), que lo considera el significante aglutinador de la democracia moderna –el nombre político por excelencia–, hasta la figura de "multitud" de Hardt y Negri (2002), que lo disuelve en un amorfo sujeto emancipatorio movido más allá del formato de la identidad y fuera del escenario del Estado y la representación política. En todo caso, la reaparición de este concepto tiene que ver con las nuevas posibilidades de empleo que abre su deconstrucción: exento de soportes sustanciales, librado a la contingencia histórica e impulsado por subjetividades variadas, el concepto de pueblo vuelve a recobrar su utilidad para marcar el lugar de posiciones culturales y emplazamientos políticos alternativos. Un lugar construido de manera pragmática, borroso en sus límites, entreabierto a discursos y prácticas variables.

Desde allí se definen los dos grandes desafíos que los sectores populares enfrentan hoy: por un lado, el de articular políticamente sus posiciones en proyectos orientados a la construcción de lo público; por otro, el de afirmar su diferencia cultural. El primer reto, que rebasa el ámbito de este trabajo, remite a la posibilidad de cruzar los conceptos de identidad y ciudadanía en los terrenos, también nebulosos, de la *res publica*. El segundo se abre a la discusión acerca de los condicionamientos que debe asumir lo popular contemporáneo, básicamente el de su relación con la cultura ilustrada y, especialmente, la de masas. Es cierto que las oposiciones *popular-ilustrado* y, sobre todo, *popular-masivo* han dejado de ser consideradas disyunciones binarias inapelables, pero su persistencia en registro de tensión contingente sigue planteando cuestiones que serán consideradas bajo el siguiente título.

El pueblo, lo masivo

En el curso de un debate que ya tiene décadas, los vínculos difíciles que mantienen las culturas populares con las instituciones del arte ilustrado y la acometida de las industrias culturales son considerados no tanto en clave de despojo y alienación cuanto en términos de trasculturaciones, cruces y desencuentros. La "teoría de la recepción" ha abierto perspectivas nuevas al analizar el destino que dan los públicos a los discursos mediáticos y letrados y considerar las experiencias y deseos propios con que los vinculan, así como la diversidad de mediaciones que establecen con esos circuitos culturales distintos. Diversos autores, entre quienes se destacan –por su afinidad con el tema que tratamos– Jesús Martín-Barbero (1987) y Néstor García Canclini (1995), han subrayado el momento del consumo para analizar procesos plurales de apropiación de modelos culturales hegemónicos (asimilación, reformulación, rechazo, adulteración, etcétera). Pero la figura de recepción cultural no pretende resolver todas las espinosas cuestiones relacionadas con la cultura popular ni sirve para encarar el tema de lo artístico popular.

Por una parte, es cierto que la industrialización de la cultura puede facilitar un acceso más amplio y equitativo a los bienes simbólicos universales (incluidos los de la cultura erudita) y permitir apropiaciones activas por parte de grandes públicos excluidos; pero la democratización de los mercados culturales trasnacionalizados requiere condiciones propicias: niveles básicos de simetría social e integración cultural, institucionalidad democrática y mediación estatal a través de políticas culturales capaces de promover la producción de los sectores desfavorecidos y regular el mercado global de la cultura. En el Paraguay, como en la mayoría de los países latinoamericanos, hay déficit de Estado y de sociedad y superávit de mercado, lo que acerca el riesgo de que, ante una contraparte dispersa y endeble, el poderoso complejo industrial de la cultura exacerbe las desigualdades, aplaste las diferencias y termine postergando las posibilidades alternativas de integración cultural y, por lo tanto, de movilidad y cohesión social.

Por otra parte, es indudable que las industrias culturales han devenido un factor fundamental en la trasformación de los imaginarios y las representaciones sociales y, aun, en la constitución de nuevas identidades culturales. Este hecho determina que una parte importante de lo cultural popular se encuentre hoy configurada por pautas, figuras y discursos provenientes de la cultura industrializada, y justifica hablar de culturas populares en registro masivo.

El pueblo, el arte

La cuestión de la cultura popular se complica cuando enfocamos una zona conflictiva y liminar de lo cultural: el arte, ese ángulo autocrítico, ese resquicio suyo que pone en jaque la estabilidad de los códigos de significación social y crea, así, franjas de turbulencia; los juegos incordiosos del arte sobresaltan la familiaridad de la inserción social, discuten los límites del orden simbólico instituido por la cultura, traspasan el círculo de la representación.

En este sentido, el concepto de arte popular designa un punto de torsión en la cultura popular capaz de producir en su economía retrasos y discordancias, pliegues y contracciones, e irradiar en torno a sí una zona que sustenta el sentido social y, al mismo tiempo, impide su estabilidad. Conviene nombrar rápidamente tres notas de este arte para desmarcarlo de otras formas que comparten su equívoco oficio de sostén e impugnación del orden simbólico: lo negativo, lo afirmativo y lo diferente. De entrada, el atributo que lo acompaña define el arte popular desde el rodeo de una omisión y lo asienta en una columna negativa: al ser inscrito en el espacio espectral de lo no hegemónico, crece marcado por el estigma de lo que no es. Ante ese menoscabo ontológico conviene caracterizar el término no solo desde la exclusión y la falta, sino recalcando un momento activo suyo: el arte popular moviliza tareas de construcción histórica, de producción de subjetividad y de afirmación de diferencia. Este momento constituye un referente fundamental de identificación colectiva y, por lo tanto, un factor de cohesión social y contestación política. Por último, la creación artística popular tiene rasgos particulares, diferentes de los que definen el arte moderno occidental: no aísla las formas, ni reivindica la originalidad de cada pieza, ni recuerda el nombre de su productor. Pero, aunque estas notas no se ajusten al régimen de la autonomía estética, el arte popular es capaz de imaginar modalidades alternativas que no significan ni la cancelación de la belleza ni el desaire de sus funciones sociales: puede conservar al mismo tiempo la eficacia de la forma y la densidad de los significados. Este movimiento, que oscila sobre los límites de la representación, resulta afín al que trata hoy de imprimir el arte contemporáneo a sus producciones para zafarse del dilema que le plantea su impugnación de la estética.

El arte, lo masivo

Según lo recién expuesto, cabe hablar de una cultura popular masiva e, incluso, de una estética popular masiva, pero cuesta detectar casos correspondientes a un arte crecido del lado del consumo globalizado. Se podría objetar que el cumplimiento de dichos casos exigiría un concepto de arte diferente del ilustrado. Pero justamente ahí radica el problema: seguimos utilizando ese modelo ilustrado; no hay otro. El concepto de arte se ha trasformado en sus notas y en su extensión, ha abierto sus claustros a otras sensibilidades, ha logrado desprender su propio círculo significante y asumir los intrincados contenidos que acerca la historia y, aun, los muchos alcances pragmáticos de sus formas. Sin embargo, aun así, deconstruido y reformulado, sigue refiriéndose obstinadamente a un complejo de operaciones estéticas que comprometen el sentido: un conjunto de maniobras imaginarias empeñadas en burlar el dintel de lo simbólico, el límite de la representación, para dar cuenta de lo real imposible. Nos guste o no esa acepción de arte (formulada en términos lacanianos en este caso), nos parezca anacrónica o demasiado estrecha, el problema es que sigue vigente: es la acepción que salta cuando hablamos de arte. Y la verdad es que seguimos hablando bastante de arte. (Benjamin detectó bien el problema: el aura es incompatible con la reproducibilidad mecánica; el problema es que la reproducibilidad telemática, impulsada por mercados planetarios, se ha ingeniado para reauratizar, en clave puramente estética, las muchas figuras de la sociedad del espectáculo.)

Dentro de ese formato cuesta, pues, imaginar prácticas artísticas en el campo de la industrialización masiva de la cultura, donde las producciones corresponden a corporaciones trasnacionales que se nutren de la sensibilidad popular para complacer a las grandes audiencias. Lo que sí resulta cada vez más visible es la apropiación que hace el arte popular (como el erudito) de mensajes, figuras, discursos y gustos provenientes de la cultura de masas. Por eso, aunque no cabe sustancializar las distinciones entre los productos populares y los de la cultura hegemónica de masas, sí conviene conservar los trazos de sus diferencias. Paralelos a la gran marcha de la trasnacionalización cultural, en América Latina operan procesos que conservan reservas alternativas de sentido. Una y otros comparten imágenes, señales e, incluso, poéticas, pero los registros simbólicos y las economías imaginarias son distintas (a pesar de todos los inevitables, y aun, saludables procesos de complicidad y negociación, de permuta, hibridez, apropiación y decomiso intercultural). Así, pues, por lo menos a nivel del arte, la cuestión no pasa por desmontar las distinciones entre lo culto, lo popular y lo masivo, sino por considerarlas de manera contingente y provisoria: la diferencia no se construye más que en el discurrir específico de los procesos históricos.

Afinidades

Lo recién expuesto nos lleva a una conclusión que puede resultar desconcertante: las formas del arte erudito de filiación vanguardística desarrolladas en América Latina comparten con las del popular tradicional escenarios paralelos; estos parecen constituir hoy los sitios más propicios desde donde resistir el esteticismo concertado de la cultura hegemónica global. Desde ubicaciones que son básicamente periféricas, aunque en distintos grados, unas y otras formas desarrollan modalidades de apropiación creativa y crítica de las representaciones masivas y sus innovaciones tecnológicas, cautelando, o intentando cautelar al menos, zonas insumisas a la lógica cultural del mercado planetario. Una vez más: esto no significa imaginar áreas incontaminadas, sino marcar puntos contingentes de emplazamiento.

La extraña afinidad entre estas posiciones diferentes constituye una de las razones por las cuales se ha restringido lo artístico popular a la producción de las culturas de tradición rural y origen precolonial. La comprobación de que ciertos acorralados sectores parecen constituir hoy los mejores exponentes de un modelo de arte amenazado de extinción (toda forma histórica de arte se encuentra por definición sujeta a esa amenaza) justifica su consideración separada (provisional, analíticamente recortada). Esa situación no los hace superiores, por supuesto, pero los posiciona en una perspectiva que permite revelar cruces inesperados entre el arte contemporáneo popular y el erudito.

Antes de considerar estos cruces conviene justificar el tratamiento de "contemporáneo" otorgado aquí a las culturas tradicionales. Tal título no les convendría ciertamente desde los prejuicios etnocentristas modernos, según los cuales la "actualidad" tiene un solo derrotero, pero se vuelve pertinente desde una visión de la historia que admite temporalidades diversas. Así, aunque exista un modelo privilegiado de lo contemporáneo –figura fraguada en el molde hegemónico occidental– resulta insostenible la existencia de *una* contemporaneidad en el sentido en que sí pudo imaginarse *un* modelo moderno. En el ámbito del quehacer artístico, lo contemporáneo designa el intento de enfrentar con formas, imágenes y discursos las cuestiones que plantea cada presente. Desde este ángulo, cabe considerar contemporáneos los esfuerzos de todos los artistas que buscan rastrear los indicios esquivos de su propio tiempo. Aunque reitere patrones formales varias veces centenarios, un atavío ceremonial indígena resultará contemporáneo en cuanto mantenga su vigencia. Y, según nuestros conceptos –estrictamente occidentales, por cierto– seguirá siendo una obra de arte mientras apele, aun de manera instrumental, a los argumentos irrefutables de la belleza. El mito colonialista según el cual solo el arte occidental alcanza la contemporaneidad (ante toda otra forma condenada siempre al anacronismo) impide asumir los conflictos que siempre tiene el arte con su propia actualidad: la vocación de retraso y destiempo que anima gran parte del arte contemporáneo.

El cruce

Luego de esta digresión acerca de lo contemporáneo cabe retomar el tema del cruce entre el arte popular y el erudito; el encuentro se produce en torno a la litigiosa figura de la autonomía del arte. Se supone que el sacrificio de esta autonomía ha tenido un sentido progresista y un alcance democratizador: la cancelación de la distancia aurática promovería, por fin, la avenencia entre arte y vida, la soñada síntesis entre forma y función y el acceso de las grandes mayorías a los privilegios de la fruición artística. Pero, ya se sabe, las cosas no fueron tan fáciles y la utopía emancipadora fue birlada por el mercado: la estetización de todas las esferas de la vida humana ocurrió no en el escenario abierto por las vanguardias, sino desde las vitrinas y las pantallas de la sociedad de la información y el espectáculo. Ese desborde de la belleza concertada terminó invirtiendo, o por lo menos oscureciendo, el signo revolucionario que marcaba la revocación de la autonomía del arte, la inmolación del aura.

Por eso, ante el imperio de la estética vaporosa, puede adquirir un signo contestatario la reconquista de aquella mínima distancia que precisa la mirada para renovar el deseo, para cautelar el otro lado y sustraerlo de los spots del entretenimiento mediático y los formatos pautados del diseño publicitario. La densidad de la experiencia y el resguardo del enigma pueden levantar barreras ante la nivelación del sentido promovido por las lógicas rentables. El extrañamiento inquietante que produce el aura puede, en fin, resultar un antídoto contra la consumación de la imagen y la integridad del significado. Pero, ¿qué posibilidades habría de restaurar el juego pendular del aura sin reponer su tradición idealista y sus fueros autoritarios? Acá el arte popular –sobre todo el indígena– presenta, si no una respuesta definitiva, un indicio considerable. Recordemos que, en sentido benjaminiano, el culto primitivo es el origen del aura; las formas rituales rodean los cuerpos y los objetos con un cerco de ausencia: los inviste con el poder de la imagen. Ahora bien, en las sociedades rurales e indígenas contemporáneas, el aura del culto se mantiene; se conserva habilitado el lugar de ausencia que permite diferir el cumplimiento, sostener la diferencia. Velada por el aura, la escena de la representación "primitiva" es un espacio abierto al acontecimiento. Y esta apertura permite imaginar otros medios para perturbar el mundo cotidiano: maneras contingentes de proyectar sombras, crear pliegues y provocar resonancias en una gran pantalla demasiado brillante, transparente y chata.

El aura de los ritos bárbaros guarda el sitio nublado del enigma –el lugar de la falta– sin jactancias de autenticidad, sin nombrar el ejemplar último y primero. Promueve una belleza libre de los fulgores exclusivistas y las jerarquías que otorga el aura ilustrada. Y mantiene un breve margen de franquicia para la estética, sin comprometerla con delirios de síntesis totales. En el arte "primitivo", el aura que ofrece y sustrae el objeto a la mirada invoca el poder de la forma para sumergirla enseguida en el cuerpo espeso de la cultura entera: busca así trastornarla y reavivarla, como se afana en hacerlo el arte erudito desde los inicios de su periplo largo.

10 de julio de 2007

INTRODUCCIÓN

Este trabajo no pretende llegar a conclusiones definitivas, sino remover cuestiones, identificar algunos de los obstáculos que se interponen en la comprensión de ciertas prácticas culturales producidas en América Latina y sumarse, así, al debate desarrollado en torno a estas. En el curso de tal intento, debe enfrentar ciertos conceptos que, aun confusos y molestos, integran el paisaje de aquellas prácticas y el trasfondo de estos debates, y expresan las ambigüedades que nublan vastas regiones de la incipiente teoría latinoamericana. Por eso algunas de las categorías básicas empleadas en este texto son problemáticas y discutibles, pero no pueden ser soslayadas.

El concepto de "popular", por ejemplo, es insorteable. Teóricamente incierto e ideológicamente turbio, deviene fuente de problemas antes que instrumento esclarecedor; pero está ahí, prendido de tantos nombres y agazapado en el fondo de tantas historias que no puede, sin más, ser reemplazado por nuevas convenciones que ignoren su presencia inveterada. Para referirnos a ciertas prácticas tradicionalmente definidas desde esa presencia, no tenemos, pues, más remedio que cargar sus conceptos con el atributo de lo "popular", aun conscientes de la zozobra que puede producir fardo tan pesado. Por otra parte, es evidente que la oscuridad del vocablo en cuestión no es gratuita: expresa bien esa mezcolanza propia de nuestro momento, cuando distintas historias y tiempos diversos se entremezclan y superponen sobre una realidad escurridiza y compleja, difícil de definir en una sola palabra.

Por eso, tratando de abarcar la mayor extensión que ocupa su curso errante, usamos el término "popular" para nombrar la posición asimétrica de ciertos sectores con relación a otros y considerando los factores plurales que intervienen en las situaciones de subordinación. Estas, a su vez, son entendidas a partir de distintas formas de opresión, explotación, marginación o discriminación realizadas en diferentes ámbitos (políticos, económicos, culturales, sociales, religiosos, etcétera) en perjuicio de sectores que resultan, así, excluidos de una participación efectiva en cualquiera de tales ámbitos. Se incluyen en la categoría de lo popular las comunidades indígenas, puesto que estas constituyen el término subalterno de las relaciones de exclusión establecidas con la Conquista y desarrolladas a lo largo del periodo colonial y los tiempos poscoloniales.

El uso del concepto "arte" presenta desafíos similares al de "popular": a pesar de las muchas confusiones que genera, su larga y terca trayectoria vuelve más práctico contar con él que ignorarlo. Si decidimos promoverlo para referirnos a ciertas zonas intensas de la cultura popular, lo hacemos más para esquivar manipulaciones ideológicas que por confiar demasiado en su fidelidad teórica, comprometida por devaneos frecuentes y derroteros dudosos.

El término "mito" es también esencialmente vago. Incluye tanto las ficciones de origen como ciertas actuales ilusiones profanas; se refiere de igual manera a la extraña tarea de cimentar el sentido como a la falsa conciencia ideológica; designa tanto un mecanismo tramposo que encubre la historia como el deseo ineludible de lo incondicionado. Antagonista obstinado del logos, el mito es alienación o poesía, simbolización o mistificación, oscura rémora sin destino o refugio del sueño amenazado. A veces a propósito, otras no, partimos de sus posibilidades o caemos en la trampa de sus sentidos inestables. Por eso, el contexto en el que se usa es a menudo el único responsable de cada acepción concreta.

Por otra parte, el término "arte popular" es teóricamente híbrido: el vocablo "arte" proviene de la jurisdicción de la Estética, mientras que "popular" es oriundo de los dominios de las ciencias sociales. Tanto la doble ciudadanía de sus componentes como el carácter apátrida que acaba adquiriendo el término son causantes de desencuentros que no pueden resolverse por la falta de un territorio propio donde puedan coincidir esos vocablos nómadas y someterse a los mismos códigos. Si no todas, por lo menos muchas de las incongruencias metodológicas del tema que nos ocupa se originan en esa falta.

Aunque pretendemos que las cuestiones tratadas en este texto puedan ser referidas genéricamente al arte popular de América Latina, ellas parten, y toman sus ejemplos, de la realidad del Paraguay, pues es la que mejor conocemos. Análogas razones de competencia temática promueven que el término "arte" se refiera sobre todo a las manifestaciones visuales, sin que ese recorte implique el menoscabo de otras expresiones de la cultura popular, que bien podrían ser comprendidas en la mayoría de los temas que se exponen aquí (teatro, música, literatura, etcétera).

En este texto se utiliza la grafía del idioma guaraní para escribir vocablos pertenecientes a esta lengua. Se mencionan las convenciones más comunes: la *y* indica la sexta vocal del guaraní, gutural; las diéresis colocadas sobre las vocales las vuelven nasales; la *h* se pronuncia en forma aspirada, como en inglés, y la *j*, como la *y* en español; por último, en guaraní solo se marca el acento de las palabras llanas: todas las que no llevan tilde son leídas como agudas. Sin embargo, se ha optado por obviar en este texto la última convención citada y marcar los acentos de las palabras agudas a los efectos de facilitar la lectura por parte de los no guaraní parlantes. Siguiendo la tradición, no se emplea la grafía guaraní en la escritura de los nombres étnicos. Se mantiene la convención de no pluralizar los nombres de las etnias atendiendo a que los mismos responden a sistemas propios de pluralización (los ayoreo, los nivaklé, etcétera).

Tanto la necesidad de incursionar en terrenos que nos son desconocidos como la de confrontar nuestras posiciones con otras que encaran momentos diferentes de un devenir sociocultural complejo nos llevaron a recabar consultas, pedir opiniones y recibir sugerencias y correcciones de otras disciplinas. En este sentido agradecemos la colaboración de Line Bareiro y José Carlos Rodríguez, con quienes, desde el inicio de este trabajo, discutimos largamente conceptos fundamentales para su desarrollo. También reconocemos los aportes de Carlos Colombino, Osvaldo Salerno, Benjamín Arditi, Luis Carmona, Jorge Lara Castro y Adolfo Colombres, que leyeron los manuscritos y aportaron valiosas observaciones.

Asunción, 10 de julio de 1987

Capítulo 1

LA CUESTIÓN DE LO ARTÍSTICO

Otros conceptos, otros mitos

A la hora de considerar lo artístico popular latinoamericano, aparece enseguida el escollo de una carencia: la falta de conceptos para nombrar ciertas prácticas propias y el escaso desarrollo de un pensamiento crítico capaz de integrar las diferentes producciones culturales en una comprensión orgánica. Aunque se parta del bien nutrido cúmulo de conceptos de la teoría universal, siempre habrá categorías que, gestadas en otras historias, no encastren en el casillero de experiencias diferentes y deban ser readaptadas o sustituidas en un proceso de inevitables reformulaciones.

Este proceso ocurre a menudo en el plano de la práctica artística.[1] Pero está aún a medio camino en el ámbito de un

1. Desde los inicios coloniales, el trasplante de las tendencias estilísticas a terrenos diferentes produce un fenómeno de refracción que obliga a reajustes y recreaciones. Tanto las tendencias renacentistas, barrocas y rococó, durante la Colonia, como el neoclasicismo, el romanticismo y el realismo, durante el periodo independiente del siglo XIX; tanto el impresionismo de comienzos de siglo como las primeras vanguardias posteriores tienen en América Latina versiones tardías y adulteradas que solo logran salvarse del destino de constituir meros remedos cuando, forzados por otros proyectos, consiguen erigirse en respuestas propias que se zafan de sus modelos. Por eso, solo por una casi forzada reconvención lingüística podemos, por ejemplo, hablar de barroco para referirnos a esas simétricas y despojadas imágenes producidas en las misiones jesuíticas latinoamericanas, y por eso, para utilizar un ejemplo más contemporáneo, en sentido estricto no cabe hablar en América Latina de surrealismo, sino, quizá, de realismo mágico o fantás-

pensamiento que debe producir o recrear muchos conceptos capaces de asumir realidades particulares. Uno de ellos es el correspondiente al arte popular; es decir, a lo que en América Latina se entiende comúnmente por arte popular: ese enrevesado conjunto de formas provenientes de culturas diversas, entre las que las indígenas y mestizas adquieren una presencia marcada. Como lo relativo a esas formas tiene en las metrópolis otro sentido, se plantea el desafío de forzar las categorías para que puedan adaptarse a los irregulares contornos trazados por la diferencia. El reto es difícil porque se encuentra condicionado por los intrincados efectos de la dependencia cultural. Por un lado, la cultura hegemónica internacional no solo propone pautas y métodos, sino que extrapola sus verdades volviéndolas válidas para todas las situaciones. Por otro, el pensamiento de los países periféricos suele aceptar, seducido y gustoso, los modelos centrales sin preguntarse demasiado acerca de la vigencia que puedan tener estos en circunstancias diferentes.

El uso del concepto *arte* es sobre todo ilustrativo de esa dificultad y de las ambigüedades que genera: aunque la teoría ilustrada parta del supuesto de que hace miles de años la humanidad entera produce esas formas sensibles cuyo juego funda significaciones (eso que en sentido estricto llama *arte*), de hecho, el modelo universal de arte (aceptado, propuesto y/o impuesto) es el correspondiente al producido en Europa en un periodo históricamente muy breve (siglos XVI al XX). A partir de entonces, lo que se considera en realidad *arte* es el conjunto de prácticas que tengan las notas básicas de *ese* arte, tales como la posibilidad de producir objetos únicos e irrepetibles que expresen el genio individual y, fundamentalmente, la capacidad de exhibir la forma estética desligada de las otras formas culturales y purgada de utilidades y funciones que oscurezcan

tico; nosotros estamos exentos de la necesidad de desmontar los mecanismos de un racionalismo exagerado que nunca padecimos, y nuestra apelación a lo mítico y lo irracional, al desvarío y al sueño, se debe más a una tradición cultural que a una reacción antiintelectualista.

su nítida percepción. La unicidad y, en especial, la inutilidad (o el desinterés) de las formas estéticas son rasgos contingentes del arte occidental moderno que, al convertirse en arquetipos normativos, terminan por descalificar modelos distintos y desconocer aquel supuesto, tan proclamado por la historia oficial, de que el arte es fruto de cada época y don de todas las sociedades. Como los conceptos no bastan para resolver esa paradoja y justificar la vigencia de ese modelo único, se recurre a los mitos.

Extracto de experiencias sociales cuajadas al costado del tiempo, los mitos constituyen esquemas de interpretación de lo real y resguardo contra los estragos de la contingencia; inmensas, rígidas, construcciones dejadas por el esfuerzo de enfrentar el origen y la muerte, que rebasan todos los símbolos. El poder que tiene el mito de capturar momentos y liberarlos de sus condicionamientos –de fundar arquetipos y sustraerlos del cambio– deja a menudo figuras coaguladas, pesos muertos que lastran el devenir social. La oposición entre esos residuos estancados y las formas míticas movilizadoras de nuevos sentidos anima los procesos culturales e impulsa desarrollos desiguales, distintos ritmos.

Con frecuencia, la cultura dominante manipula ideológicamente el mito, se sirve de su capacidad de paralizar ideas, imágenes y valores e inscribirlos en un nivel extratemporal que los fundamente. En estos casos, ciertas figuras míticas no significan construcciones colectivas, sino medios de propaganda. Entonces, el arquetipo deviene clisé y deja el relato de ser ficción para ser falsificación: deja de mitificar para mistificar. Sus mecanismos retóricos de escamoteo y ocultamiento, que sirven para recubrir aspectos oscuros de lo real y descubrir sentidos claros, son empleados para disfrazar conflictos; su capacidad de suspender el tiempo en un origen que funde el orden y los ritos fuera de la historia es usada para eternizar arbitrariamente aspectos que convengan al discurso de la dominación. Así, a través de mitos, este discurso pretende absolutizar las formas artísticas en las que se siente representado y justificado; intenta convertirlas en esencias, principios de un canon absoluto, dechado ideal de toda práctica que aspire al título de arte. El resultado es el mito del arte, uno de los grandes relatos de la modernidad.

Nombrado por conceptos ajenos y enfrentado a ese modelo mítico, el arte popular aparece empobrecido y mutilado: gran parte del menosprecio que sufren sus expresiones se infiere del mito de que determinadas prácticas producidas en Europa (y después en Estados Unidos) constituyen, por superiores, el único parámetro de lo que debe ser el arte. Pero el desmedro de lo artístico popular también deriva de la vieja tendencia a importar conceptos referidos a esas prácticas y trasplantarlos reflejamente a otros sistemas culturales, sin tener en cuenta sus particularidades. Ambos factores intervienen siempre en la descalificación de estos sistemas en cuanto no encajan en las categorías importadas; es decir, ya que carecen de algunos atributos coyunturales de la cultura hegemónica erigidos en normas suprahistóricas. Estas notas provienen de una figura central del arte occidental moderno: la autonomía estética, asegurada por el movimiento que separa las formas para que sean consideradas en sí mismas, eximidas del denso bagaje de responsabilidades con que se empeña en cargarles la historia. Pero esa emancipación es reciente y circunscrita: solo se produce dentro de los límites de una cultura concreta y en cierto momento de su curso. El proceso histórico de las culturas populares latinoamericanas no necesitó independizar sus formas. Como originariamente la cultura indígena tenía sus propios mecanismos míticos para procesar sus contradicciones internas, aparece ella como una gran síntesis, una unidad ajustada que disuelve en sí momentos que en el contexto de la cultura occidental moderna funcionan separados. Muchos de los problemas que presenta el análisis del arte indígena traducen, precisamente, la dificultad que tiene un pensamiento dualista para comprender esa práctica presentada como una realidad compleja pero compacta. Ciertas parejas de oposiciones conceptuales (como útil-bello, arte-sociedad, forma-contenido, estético-artístico, etcétera) que seccionan y sostienen los terrenos de la teoría del arte no convienen a un modelo cultural que se autorrepresenta entero.

Representación del rapto de las mujeres guaraníes por los caduveo-guaykurú. Ritual de los *kambá ra'angá*. Fiesta patronal de San Pedro y San Pablo. Fotografía: Jorge Sáenz, Altos, 2003. Archivo del autor.

La ruptura de aquel mundo ajustado se produce desde afuera. Por eso no da como resultado una ordenada diferenciación de sus diversos aspectos –como en la cultura europea que, según sus necesidades, pudo ir desgajándose en distintas regiones, subsumidas en otra unidad–, sino una fractura arbitraria cuyas partes no encajan en el casillero categorial occidental. Como los pedazos de un espejo roto que reflejan, uno a uno, el todo, muchos de esos fragmentos conservan en sí ese principio unificador y recapitulan, en sus siguientes desarrollos mestizos e indígenas, la identidad de momentos que la estética desdobla en categorías enfrentadas.

Los principales problemas para encarar la especificidad del arte popular surgen, en gran medida, de la aplicación mecánica de un concepto basado en el desdoblamiento de lo artístico y lo estético. Esta oposición, que sin duda ha resultado fecunda para comprender el mecanismo del arte occidental moderno, extrapolada al campo de lo popular se muestra poco eficiente y concluye, por lo general, en el menoscabo de sus expresiones. Simplificando al extremo un problema complicado, cabe aquí recuperar la vieja distinción entre el nivel *estético* y el *poético*, o propiamente artístico: el primero se refiere al momento perceptivo y sensible, es la maniobra formal que recae sobre el objeto; el segundo, a la irrupción de la verdad que convoca esa maniobra. Así, lo estético involucra el ámbito de lo bello, la búsqueda de la armonía formal y la síntesis de lo múltiple en un conjunto ordenado, mientras que lo artístico se abre a la posibilidad de intensificar la experiencia de lo real, movilizar el sentido. La práctica del arte supone, así, un trabajo de revelación: debe ser capaz de provocar una situación de extrañamiento, para develar significados y promover miradas nuevas sobre la realidad. No todo lo estético tiene esta preocupación: mucho quehacer suyo permanece a nivel de la manipulación de las formas con la sola finalidad del deleite sensible, al margen de la cuestión del sentido.

Ya queda indicado que en el arte indígena original, y luego en el popular, es difícil despegar la forma del contenido y, consecuentemente, lo estético de lo artístico. Esta dificultad se traduce en una subvaloración de sus expresiones, a las que se les retacea el acceso al arte tachándolas de formalistas o de contenidistas. Es que, por un lado, la acusada tendencia a la abstracción geometrizante de muchos signos parece sugerir la mera intención ornamental de formas graciosas, exentas de responsabilidades simbólicas, mientras que, por otro, el peso abrumador de ciertos contenidos socioculturales y la rotunda presencia de funciones utilitarias parecen aplastar la forma.

Frecuentes discusiones, definidas con mayor claridad en el plano de la cultura indígena, se desarrollan en torno a la posibilidad de, o bien rastrear los significados sociales entrañados en muchas formas simétricas y depuradas (tan distantes del concepto naturalista de figuración), o bien rescatar las formas de ese terreno anegado por funciones y contenidos torrenciales. Según será expuesto después, parte de esa dificultad deriva del hecho de que en ciertas culturas, sobre todo las indígenas, la forma estética es aparentemente más libre de la naturaleza que de la sociedad, a diferencia de las culturas occidentales modernas, en las que parece ocurrir lo contrario; por eso, medidas aquellas con la vara de estas, sobran por un lado y faltan por otro.

Es que la extrapolación de la dicotomía forma/contenido al campo de la cultura popular siempre lleva a la conclusión de que esta se encuentra en falta con uno de los términos de esa oposición, considerada en forma binaria y fatal. Y esto aparece claro en ciertos análisis aun referidos estrictamente al contexto de la cultura europea. Así, Mukarovsky sostiene que, dado que el arte requiere la supremacía exclusiva de la función estética y que en la cultura popular esa función se confunde con las otras (sociales, religiosas, etcétera), entonces, las creaciones *folclóricas* no alcanzan a ser artísticas. El arte popular (en general) queda asimilado, de este modo, al mero arte decorativo: tanto aquel como este constituirían fenómenos *extraartísticos* (Mukarovsky, 1977: 44 y ss.).[2] Gramsci recalca el carácter pasivo y contenidista de la cultura popular; según él, el *folclore* se distingue por sus tendencias de "contenido" (Prestipino, 1980: 84). Para Herbert Read, en cambio, la inferioridad del arte popular deriva exactamente de lo contrario: este es formalista y vacío; la cerámica, por ejemplo, es considerada un "arte sin contenido" (Read, 1964: 24). Discutir este tipo de descalificaciones de lo artístico popular exige el manejo de conceptos adecuados a sus particularidades.

2. Por supuesto que el predominio de lo estético no significa en Mukarovsky un formalismo exagerado que devore todos los contenidos; según este autor, la supremacía estética se define por su "capacidad de organizar estéticamente una multiforme presencia de factores extraestéticos" (Prestipino, 1980: 76); el arte culto no solo subraya los elementos formales, sino que expresa, desde su núcleo estético, los diversos contenidos históricos.

En los próximos puntos se propondrá una definición más amplia de arte que, no circunscrita al modelo dicotómico de la modernidad, permita incluir la diferencia.

Los bajos fondos del arte

Esencializadas en sus términos, inapelables, las oposiciones binarias se encuentran en el origen del pensamiento moderno. Ellas son responsables de algunas profundas disyunciones que, aun apostatadas o ignoradas, sobrevuelan sobre toda la cultura artística contemporánea. La Estética crece sobre una plataforma escindida que tiende a polarizar sus conceptos y a enfrentarlos en batallas muchas veces inútiles. Una de las consecuencias más fastidiosas de esta herencia dualista es el binomio arte/artesanía, que plantea inevitablemente dificultades y problemas a la hora de analizar la cultura popular. La cultura occidental entiende por *arte* toda práctica que, a través del juego de sus formas –pero más allá de él– quiere enfrentar lo real. Sin embargo, en los hechos, el término *arte* se reserva a las actividades en las que ese juego tiene el predominio absoluto: solo a través de la hegemonía de la forma se desencadena la genuina experiencia artística. En el arte popular, la forma estética –aun reconocible– no es autónoma ni se impone sobre las otras configuraciones culturales (con las que se entremezcla y se confunde). A partir de este hecho, se considera que el vocablo *arte* afecta ciertos fenómenos culturales en los que la forma eclipsa la función y funda un dominio aparte, por oposición al terreno de las *artesanías* o *artes menores*, donde la utilidad convive con la belleza y alguna veces le hace sombra.

A mediados del siglo XVIII, la Estética se consolida en el curso de un afán emancipador de la forma, expresivo de la concepción autosuficiente del nuevo sujeto burgués como actor histórico privilegiado. La reciente disciplina encuentra en la obra de Kant una formulación sistemática y un fundamento epistemológico firme, desde el cual la representación artística se desentiende de sus fines tradicionales (usos y funciones utilitarias, rituales, etcétera) para centrarse fundamentalmente en la forma estética. El privilegio de la estructura formal del objeto es la base del "gusto estético" entendido como posibilidad de apreciar de manera sensible dicho objeto sin interés alguno, a partir del juego libre de las facultades y la mera contemplación pura y libre; es decir, sin tener en cuenta sus posibles finalidades prácticas.

Esta concepción de la experiencia estética basada en el desinterés y en la inutilidad práctica genera una profunda escisión entre lo que Kant llama "juicios puros" y "juicios impuros" del gusto. A los primeros, como cabe esperar de la asignación del nombre, corresponde el gusto verdadero, perfecto y legítimo, mientras que a los segundos –comprometidos con intereses utilitarios y finalidades extraartísticas– corresponde el gusto inauténtico, superficial y vulgar. Los unos, los gustos puros, develan la belleza pura (*pulchritudo vaga*); los otros, la adherente (*pulchritudo adherens*), en la que la forma –inmersa en otros objetivos y funciones– no logra sobreponerse de manera absoluta y se debe adaptar a las necesidades impuestas por la función del objeto (Kant, 1977). Las artes "mayores" poseen una belleza pura, autónoma y autosuficiente, fruible en sí; mientras que las "aplicadas" o "menores" dependen de otros valores y condiciones y carecen de formas que puedan ser valoradas aisladamente.

La cisura corre a lo largo del pensamiento estético moderno con estribaciones que llegan hasta nuestros días; a veces como brecha profunda, a veces como mera cicatriz, recuerdos apenas de antiguos cortes, pero frontera al fin. Ella marca los lindes, infranqueables, entre el ámbito sacralizado del objeto artístico considerado en forma mítica y fetichista y las otras expresiones que no cumplen el indispensable requisito de inutilidad que caracteriza la gran obra de arte. El resultado de tales límites es la marginación de estas expresiones que son relegadas a una zona residual y subalterna que conforma lo que Eduardo Galeano llama "los bajos fondos del arte". Es que la oposición arte/artesanía no es ideológicamente neutra. En primer lugar, encubre ciertas consecuencias derivadas de la mercantilización del objeto artístico. Aunque este se declara libre de finalidades extraartísticas, en realidad se ha emancipado de su destino utilitario, pero no de su función de mercancía, que lo sujeta a nuevas dependencias y funciones provenientes del predominio del valor de cambio sobre el valor de uso. Benjamin se refiere a la polaridad existente entre lo que él llama el valor "cultual" (relativo al culto) y el valor exhibitivo de la obra. En las sociedades llamadas "primitivas" las expresiones artísticas están al servicio del ritual y portan un valor de uso social. La sociedad contemporánea desritualiza el objeto, subrayando su valor exhibitivo (la mera contemplación artística), pero, paralelamente, sacrifica el valor de uso social y promueve la apropiación privada del objeto devenido mercancía (Benjamin, 1973: 28).

Zenón Páez, santero vinculado con la tradición misionero guaraní. Fotografía: Arístides Escobar Argaña, Tobatí, 2008. Archivo del autor.

Por eso, en verdad, el arte moderno no es en su totalidad "inútil", en el sentido kantiano del término; siempre tiene, más allá del reino de las formas, funciones que cumplir, y aunque no sean las rituales o cotidianas de los pueblos, no es tan puro como pretende. Escribe en ese sentido Francastel:

> Ni hoy ni nunca el verdadero arte ha revestido un carácter de gratuidad. Los valores estéticos no son valores separados de toda contingencia, valores inútiles. Sé muy bien que la opinión de Kant ha sido tomada por varios y muy importantes pensadores [...], [pero] no podríamos estar de acuerdo con su fórmula, porque si el arte fuera realmente una finalidad sin fin, o si el artista no se propusiera otro fin fuera de la obra misma, tendríamos que negar al arte todo significado. Y, de hecho, ocurre todo lo contrario: el arte, que ha servido a todas las épocas como medio de expresión y de propaganda, es uno de los vehículos de la ideología de su tiempo (Francastel, 1970: 76).

El hecho de mantener límites insuperables entre los conceptos de arte y artesanía también ha sido vehículo de ideologías. En el Paraguay, como en toda América Latina, la dominación colonial supuso la privación del estatuto de *arte* a las expresiones indígenas y mestizas. Por supuesto que ni a los primeros conquistadores ni a los misioneros se les pasó por la cabeza que las manifestaciones culturales de los indígenas que habitaban estas tierras pudieran tener valor estético alguno: ni siquiera se detuvieron a describir, aunque más no fuera por curiosidad, aspectos de tales manifestaciones, y solo de manera vaga y con un sentido manifiestamente peyorativo se refirieron a prácticas consideradas siempre salvajes y desprovistas de todo valor. Como en el Paraguay ni siquiera había metales preciosos que pudieran al menos conferir un interés crematístico a los objetos de la cultura local, esta pasó desapercibida e ignorada. Recién desde comienzos del siglo XX la obra de los indígenas comenzó a despertar el interés de los misioneros, etnógrafos, antropólogos y arqueólogos, pero siempre como objeto de cultura material y no como soporte de valores artísticos.

Las misiones jesuíticas desarrollaron en el Paraguay un intenso trabajo de talleres artesanales, pero la idea de considerar artísticas las producciones que allí se realizaban se encontraba al margen de las intenciones de los misioneros. Este desinterés se traducía en dos hechos claros. En primer lugar, el sistema de trabajo de los talleres de escultura, pintura, retablo o grabado se basaba en la copia de modelos, celosamente controlada y, en lo posible, sin margen alguno para la creatividad del indio (filtrada, no obstante, en muchas piezas copiadas que pasaron a impregnarse de un carácter propio). En segundo lugar, esta práctica, aun remedada de la metrópoli, en la medida en que pudiese significar por lo menos destreza artesanal, estaba desvinculada por completo de la experiencia real del indio, de su vida cotidiana y, por supuesto, de sus antiguos ritos y creencias. De este modo, existía un corte tajante entre el trabajo artesanal destinado al lujo y las pompas del culto y el relacionado con la cotidianidad del indígena, rigurosamente despojado de cualquier elemento estético y desarrollado dentro de los estrictos límites fijados por sus funciones utilitarias (solo en la privacidad de sus casas y a contrapelo de la dirección misionera el indígena realzaba la forma de sus propios objetos). En el mejor de los casos, el indio era considerado un buen copista del arte de Europa y su obra tenida por un trasunto imperfecto y degradado de las verdaderas creaciones, cuya aura reflejaba pasivamente desde lejos.[3]

3. Ya el padre Sepp, uno de los primeros misioneros, después de reconocer que los indígenas "imitan como monos todo lo que ven" (Sepp, 1973a: 270), escribe: "estos pobres diablos son como artesanos tan hábiles y tienen tanta facilidad para aprender que [aunque] parece increíble y suena como una fábula... todo lo que tienen ante sus ojos lo pueden confeccionar muy hábilmente" (Sepp, 1973b: 178-179). Y aun en pleno siglo XX, Furlong mantiene intactos los postulados del colonialismo misionero que asimilaban la producción de los talleres a los oficios mecánicos y la empujaban en la dirección de una habilidad técnica desprovista de cualquier posibilidad creativa.

Escena del *Kunumi Pepy*, ritual *pãĩ tavyterã* de iniciación masculina. Las túnicas, *aoveté*, son propias de la tradición guaraní. Las plumas de guacamayo de los *jeguaká*, las diademas ceremoniales, han sido sustituidas por borlas de hilo de algodón y lana, atendiendo el peligro de extinción del ave citada. Fotografía: Arístides Escobar Argaña, Panambí, 2002. Archivo del autor.

Es cierto que hoy se tiende a borrar los límites entre el arte y la artesanía, pero, promovida desde el centro, esta tendencia no cautela la diferencia de lo popular, que queda disuelta sin mayores justificaciones. Por eso, cuando se analiza la cuestión desde el otro lado, el de la cultura popular, la brecha aparece intacta; y si se decide saltarla sin más, el gran arte, aristocrático y exclusivo, se resiste a aceptar en su terreno manifestaciones consideradas de menor categoría y crea dificultades y complicaciones. En los siguientes puntos nos referiremos a algunas de ellas.

Lo artístico y lo artesanal

La primera dificultad se basa en el supuesto de que, comprometidas con ritos y funciones cotidianas, las creaciones populares no alcanzan ese grado superior, autocontemplativo y cerrado en sí que distingue las formas superiores del arte, y permanecen, por lo tanto, atrapadas por su propia materialidad, su técnica y sus funciones. Según hemos observado, en la cultura indígena, y aun en la mestiza, resulta impensable desmarcar la función estética de la compleja trama de significados sociales en la que aparece confundida. Es que aquella cultura soldaba tan cumplidamente funciones rituales, estéticas, religiosas, políticas y aun lúdicas, que pretender arrancar aquello que hoy llamamos "lo estético" de su apretada matriz simbólica constituiría una segmentación arbitraria y una operación a la larga poco eficiente; los límites de ese recorte permanecerían inevitablemente esquivos y nunca alcanzarían la nitidez requerida por el gran arte. En la producción cultural mestiza tampoco es posible seccionar un terreno autónomo sobre el que se erijan las construcciones artísticas: sus imágenes se encuentran siempre animadas por impuras funciones. Las lenguas indígenas no cuentan con un término que designe lo que la cultura occidental entiende por *arte*; el guaraní actual, el lenguaje popular, tampoco. Ante tales complicaciones cabría la posibilidad de dejar de englobar bajo el concepto de arte actividades que, de atenernos con puridad a los alcances originales del término, no encuadran en su básica definición.

Esta posibilidad es considerable y, de hecho, ha sido utilizada. Mirko Lauer se refiere a las creaciones populares, que aquí serían tratadas de artísticas, definiéndolas así:

> Conjunto de manifestaciones plásticas que, por el carácter de su existencia, no pertenecen [...] a la categoría *arte* y que llamaremos a partir de aquí plásticas del capitalismo contemporáneo [...]. Este sería, pues, un texto dedicado a la parcela específica de *no arte* que ha sido llamada artesanía, folclore o –como una concesión o transacción– arte popular (Lauer, 1982: 23).

En el Paraguay, como en otros países de América Latina, gran parte de la producción estética de los sectores populares se canaliza exclusivamente a través de los rituales y las artesanías; la cuestión se complica porque solo estas se exteriorizan en objetos, únicos soportes tangibles de su creatividad. Pero llamar "artesanías" a esas expresiones sería referirse solo al aspecto manual de su producción y anclar en la pura materialidad del soporte, desconociendo los aspectos creativos y simbólicos y cayendo en la trampa de una actitud discriminatoria que segrega las manifestaciones populares erradicándolas del reino de las formas privilegiadas.[4]

El filón idealista, filtrado en todo el desarrollo de la estética occidental, promueve dos movimientos básicos. Por un lado, la sacralización del arte, que pasa a ser considerado una manifestación superior del espíritu, ajena a los valores de la productividad de la artesanía; por otro, la mitificación del artista que –considerado un creador original, provisto de talento y genio– se diferencia del artesano –dependiente de funciones prosaicas y munido solo de habilidad e ingenio–. La tendencia a considerar mera destreza manual las manifestaciones indígenas y populares tiñe, pues, el término *artesanía*, marcándolo con el estigma de lo que no llega a ser arte aunque apunte más o menos en esa dirección. Por eso, utilizar ese vocablo para designar genéricamente las manifestaciones expresivas populares supone aceptar la división entre el *gran arte*, que recibe una consideración favorecida, y la artesanía como *arte menor*, marcada siempre por el estatus desventajoso de pariente pobre. Esta división esconde siempre un más o menos solapado intento de sobredimensionar los valores creativos de la cultura dominante y, consecuentemente, desestimar las expresiones populares. Por eso, a pesar de las dificultades que el término acarrea y las inevitables limitaciones que su utilización impone, es preferible usar el término *arte popular* para nombrar el conjunto de formas que producen ciertas comunidades subalternas buscando replantear sus mundos.

4. Desde el punto de vista de su técnica productiva, la mayoría de las manifestaciones artísticas populares es artesanal. Lo que aquí se discute es que se adopte ese punto de vista como definitorio, desconociendo el nivel poético de aquellas manifestaciones. Al fin y al cabo, gran parte de las grandes obras del arte erudito es asimismo artesanal; de atenernos al criterio del proceso material de su realización deberíamos también llamarlas *artesanías*.

Puede argumentarse en pro de este término apelando a la arbitrariedad del lenguaje, que permite ampliar extensiones o profundizar comprensiones de conceptos según usos y conveniencias distintos. La historia occidental no ha tenido empacho en otorgar retroactivamente el título de arte a formaciones anteriores a la gestación de tal concepto. Y lo ha hecho, para legitimar la tradición de la cultura dominante, declarando "artísticos" fenómenos que apuntalan sus valores o coinciden con sus propias convenciones formales.[5] Invocando, pues, el carácter convencional del lenguaje, cabe hablar con todo derecho de *arte popular*, así como se habla, por ejemplo, de *economía* o de *religión indígena* aunque tales conceptos tampoco recorten ámbitos diferenciados en el contexto de las culturas étnicas. No existe otra manera de designar ciertas producciones populares sin caer en prejuicios que limiten su espacio y releguen sus consecuencias. Si el lenguaje se encuentra tan marcado por la cultura dominante, que carece de conceptos adecuados para nombrar lo producido fuera de esta, no queda otro remedio que forzar el contorno de sus propios conceptos para no confinar lo estético popular al reino de lo inefable. Pero habría que dar un paso más y fundamentar el uso del término en cuestión no solo en la flexibilidad de los códigos lingüísticos, sino en razones históricas, epistemológicas y políticas, que serán consideradas en los siguientes puntos al analizar otras dificultades que se presentan cuando se nombra el arte de los pueblos.

5. "Tal tradición –escribe Lauer refiriéndose a este hecho– viene a ser una interpretación interesada, como en el caso del manejo que hace el sistema europeo de las artes respecto de la antigüedad [...] son lecturas artísticas de fenómenos que no son artísticos en el sentido histórico occidental de la palabra [...]. Es así como el concepto de arte estructura un sistema de las artes occidentales, y este, a su vez, genera las categorías de una historia del arte cuyo objetivo es proyectar hacia atrás los valores y las subcategorías con las que opera un sistema desde el presente" (Lauer, 1982: 23-24). En verdad, ningún teórico moderno dudaría en hablar de arte egipcio, mesopotámico, cretense o romántico, aunque las manifestaciones designadas no llenaran muchos de los requisitos impuestos por el arte erudito de Occidente.

Cuestiones de autonomía

Para comenzar, habría que discutir tanto las distorsiones que sufren como las posibilidades que presentan algunos de los conceptos referidos a atributos que el arte de Occidente reconoce como suyos y que actúan como obstáculos para el reconocimiento de la diferencia popular. Tironeada desde lugares diferentes, la propia "autonomía de lo estético", pieza clave del arte occidental, ve deformados sus perfiles y cambiadas sus notas. Una cosa es la consideración de la especificidad de los procesos artísticos, la necesaria particularidad de sus lenguajes –a mucho costo conquistada– y, otra, la absolutización de esa autonomía, que sacraliza la esfera de lo artístico y la convierte en un sector autosuficiente, metafísicamente cercado. La versión más radical de esta tendencia a esencializar la particularidad de lo estético se expresa en el siglo XIX en la teoría del *arte por el arte*, que diseminó secuelas en grandes zonas del pensamiento actual.

Determinadas razones históricas, que se gestan en Europa en el siglo XVI y rematan en el XVIII, van apuntalando el proceso diferenciador de las prácticas culturales y remarcando sus particularidades. Este proceso alcanza su punto más alto después de la Revolución Industrial, cuando el artista, apartado de la producción, adquiere independencia y genialidad y su obra se convierte en objeto único. Uno de los desafíos más arduos que tiene hoy la teoría del arte está dado por la necesidad de reconocer la especificidad del momento estético formal sin olvidar las condiciones concretas de su producción. En este sentido, el concepto de *autonomía condicionada* puede servir para resguardar ese momento sin ceder a reduccionismos esteticistas que lo aíslen de sus determinaciones históricas y borren las marcas de su producción material.[6] Por otra parte, en cuanto ese concepto también permite asumir la particu-

6. En principio, la crítica social del arte está hoy de acuerdo en impugnar tanto el determinismo sociologista, que hace del arte un mero reflejo de lo social, como el reduccionismo esteticista, que lo deja varado en el reino de las formas.

laridad de culturas diferentes, puede resultar útil para evitar, una vez más, la tentación de absolutizar un momento del arte occidental y hacer de sus notas prescripciones.

En las sociedades occidentales modernas, lo estético puede ser desgajado de los distintos factores que actúan sobre su producción, no solo porque estos tienden a aparecer camuflados para complacer a una dirección demasiado preocupada por la forma, sino porque, casi desde el Renacimiento, sus articulaciones están preparadas para que pueda ser desprendido del cuerpo social (lo estético constituye un módulo concebido para ser desarmado; un dispositivo epistemológicamente desmontable). En los dominios de la cultura popular se vuelve mucho más difícil circunscribir un ámbito propio para lo perceptivo formal. Pero esa dificultad no impide la identificación, la seccionalización conceptual, las operaciones estéticas, aunque se encuentren ellas confundidas con los contenidos y funciones sociales a los que atienden. En este caso, el estudio de la especificidad de las formas artísticas exigirá readaptaciones metodológicas que consideren el peso de aquellos contenidos y funciones en la configuración de estas formas. Se trata de un peso importante: la creación colectiva (propia del arte popular) depende de sus circunstancias históricas mucho más que el arte entendido como acto individual; por eso, las formas de aquella, sujetas a los códigos sociales, son menos flexibles que las otras.

Entonces, aunque en el arte pueda localizarse un nivel estético –mediante un recorte metodológico en gran parte arbitrario– será imposible desprenderlo limpiamente del trasfondo de sus condiciones sociales: estará contaminado con otros fines de forma inevitable y arrastrará los residuos de otras funciones. Estos fines y funciones impregnarán lo idealmente estético oscureciéndolo, y los bordes confusos de aquel recorte nunca coincidirán con los precisos límites de una idea previa de lo artístico. Aunque atrapado por un instante, el objeto incierto y esquivo tenderá siempre a escurrirse de su propio concepto, deslizándose enseguida hacia el ámbito indiferenciado al que pertenece; su aparición marcará un momento fugaz, una imagen instantánea tragada de inmediato por el flujo turbulento del acontecer social.

Desde otro ángulo, el relativismo cultural, oriundo de la antropología contemporánea, ayuda a reconocer la diferencia de las culturas alternativas y a valorar sus producciones artísticas no desde un modelo único de arte, sino a partir de las situaciones históricas concretas que generan los diversos sistemas de expresión: cada uno de ellos (en cuanto expresa una de las formas posibles de enfrentar imaginariamente lo real) deberá ser comprendido a partir de las particularidades de sus códigos y sus funciones sociales. La asignación de "artisticidad" de ciertos fenómenos no depende, por lo tanto, de cualidades inherentes suyas, sino de la perspectiva desde la cual cada cultura los enfoca, y de criterios basados en convenciones históricas contingentes. Un ejemplo del carácter convencional y arbitrario de los códigos que determinan que una situación sea o no artística está bien dado por Mukarovsky. Según queda referido, este autor comienza definiendo lo artístico, en una dirección kantiana, como aquel terreno donde la función estética tiene la supremacía sobre las otras. Pero este predominio no depende de características intrínsecas del objeto, sino de su posición en el marco de relaciones sociales específicas. Así, el filósofo checo analiza el fenómeno de objetos de la cultura "folclórica" que originariamente no eran artísticos, pero que devinieron tales cuando, debilitadas o extinguidas, muchas de sus funciones utilitarias retrocedieron en un movimiento que permitió la aparición de la función estética, que antes se encontraba cubierta. Es decir, en el objeto nada cambió; lo que produjo su artisticidad fue una lectura diferente realizada desde convenciones extrañas a su producción (Mukarovsky, 1977: 59).

Tanto la propia práctica del arte como la teoría crítica, siempre unos pasos atrás, no pueden menos que reconocer las consecuencias de la desconcertante lección de Duchamp que autoriza a rotular como artísticos los objetos más banales. Pero los *ready made* no hicieron más que demostrar por el absurdo una verdad hace tiempo presentida: que lo artístico no es una cualidad propia del objeto, sino que depende de la ubicación que se le otorga en determinadas situaciones socioculturales. El aporte de la semiótica ha sido decisivo para recordar la arbitrariedad de la lectura artística y la importancia del contexto y el concepto en la definición del nivel poético del signo. Es a partir de estas aportaciones que el arte actual ejerce con tanto entusiasmo su facultad de "artistizar" la situación más ordinaria trastornando brusca, brevemente, su economía significante.

Apoyada en estos supuestos, la impugnación de las estéticas idealistas (que proponen un mundo de objetos bellos en sí) discute los estrechos límites de un concepto del arte identificado con un tipo específico de creación surgido en las sociedades capitalistas modernas y, así, permite considerar la particularidad de sistemas expresivos generados en otras condiciones históricas. Una de las salidas que se le presenta hoy al cuestionado término *arte* está dada, precisamente, por su posibilidad de rebasar los límites impuestos por el modelo moderno y abrirse a las maneras diferentes de fundar mundo a través de la forma.

Los límites

La ambigüedad de los contornos del concepto "arte popular" es responsable de otra dificultad: aunque lo artístico popular tuviera un terreno propio, este sería confuso y poco apto para las delimitaciones precisas que necesita la Estética. Si no existen objetos artísticos en sí mismos (sino que adquieren ese estatus a partir de convenciones culturales), entonces es evidente que los códigos según los cuales un observador occidental valora, por ejemplo, una vasija indígena, son diferentes a los del alfarero que la produjo. E inmediatamente salta la cuestión de los límites de lo artístico popular: ¿cuáles objetos, cuáles hechos, pueden ser comprendidos dentro de la categoría de arte y cuáles no? ¿Por qué tal vasija adquiere esa categoría y esta flecha no? El problema es bastante difícil porque, una vez más, se encuentra planteado desde la perspectiva exclusivista del arte moderno: por más que se ensanche la extensión del término arte, se vuelve a recurrir a sus atributos esenciales a la hora de aplicarlo: esta vasija configura una obra de arte porque su diseño o sus patrones decorativos pueden ser objeto autónomo de percepción sensible; no es artística esta flecha porque su función instrumental oscurece esa percepción (lo sería si el arma depusiera sus usos y fuera considerada en sus puras soluciones formales; así, aislada en una vitrina, su seguro diseño aerodinámico la convertiría en verdadera pieza escultórica). O bien, puede ser catalogada como una obra de arte esta vasija porque se distingue en su unicidad y originalidad de cualquier otra, mientras que no puede serlo esta flecha porque, desprovista de carácter singular, irreductible, se confunde con cualquier otra y no demuestra la creatividad de su autor.

Sucede que, desde aquella perspectiva moderna, al ampliar la línea demarcatoria entre lo que es y no es arte, se sacrifica el cumplimiento de ciertas notas a fin de mantener las fundamentales. Así, para que determinadas expresiones populares puedan quedar comprendidas dentro del concepto de arte, se hacen algunas concesiones: cierta vista gorda a la ambigüedad de la autonomía formal, cierta tolerante disculpa a la hora de examinar la originalidad de la obra; pero, en última instancia, la soberanía de las formas y la rúbrica del genio individual deben aparecer por algún lado: son innegociables. Es decir, como salida de emergencia, se reconoce a regañadientes la existencia segundona del arte popular, pero este reconocimiento está sujeto a la condición de que se mantengan ciertas cualidades que definen el arte culto.

Las paradojas de esta transacción se originan en el trasvase a la cultura popular de categorías forjadas en el contexto de una modernidad que diferencia los dominios que la integran. Si arrancamos una figura de un sistema, ella mantendrá la configuración que le hacía engranar en el mecanismo de ese sistema; podremos aumentar su extensión, pero su esquema seguirá siendo el mismo. Según fuera señalado, la teoría del arte popular se encuentra a medio camino entre la teoría estética, por un lado, y la antropología, la sociología y la política, por otro. Desde esta posición incierta presta conceptos de diversas áreas sin contar con una parcela disciplinal propia sobre la cual integrarlos y desde donde articular metodologías necesariamente plurales. Sin pretender llegar a ningún resultado definitivo, imposible en este campo, podría adelantarse la discusión tomando prestados de otras áreas ciertos análisis y conclusiones vinculados con las figuras de *desinterés* y *unicidad*, requisitos básicos de lo artístico ilustrado.

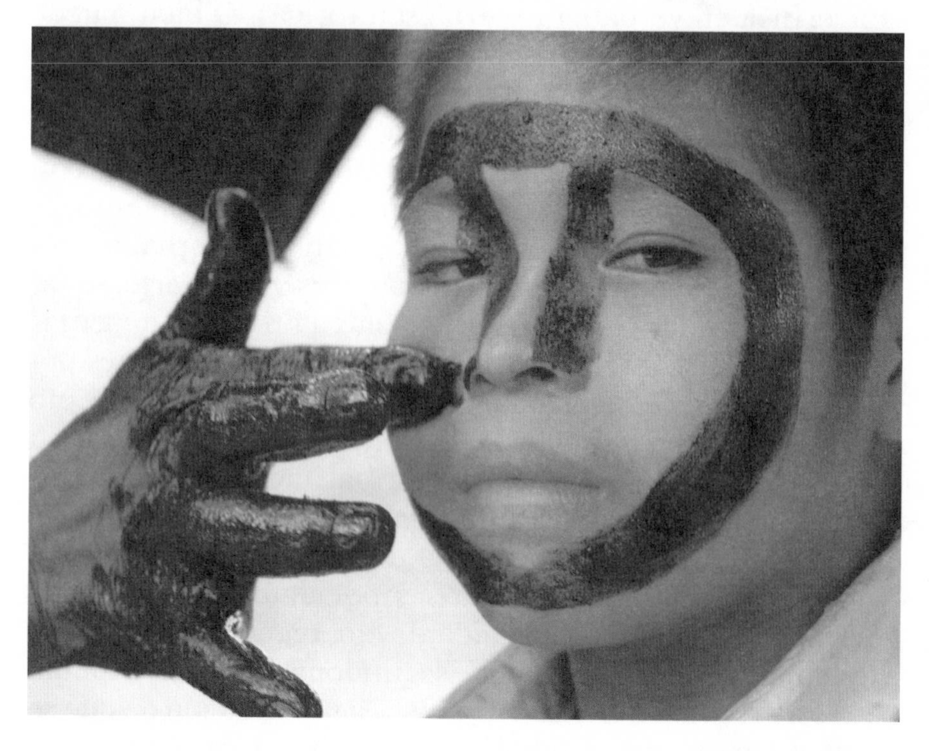

Pintura facial de niño aché. Fotografía: Bjarne Fostervold, Kuetuvy, Caaguazú, 2011. Archivo del autor.

Los oficios de la belleza

Para considerar las divisorias del arte popular desde la perspectiva del propio creador, este apartado se basa en la cultura indígena, en cuyo interior aparece más definida esa cuestión; pero también podría hacerse extensivo su contenido a gran parte de la cultura popular de origen mestizo. Se ha discutido mucho acerca del valor estético que otorga un indígena a sus creaciones. No las considera, de hecho, obras de arte, pero es evidente que muchas de ellas apelan a la sensibilidad y están animadas por un impulso expresivo y una intención decidida de representar imaginariamente su propio mundo. La cultura indígena intensifica y puntúa de manera retórica determinados momentos de su desarrollo para crear esas configuraciones crispadas que nosotros llamamos arte. Y este extraño movimiento no solo involucra un nivel estético, que convoca la percepción formal (los sentidos), sino que moviliza un momento poético: una apertura al replanteamiento de los significados sociales (el sentido). Pero en la cultura indígena ambos niveles se confunden; la práctica artística constituye una actividad socialmente cohesionante: los objetos y el propio cuerpo se invisten de belleza para ingresar en un nivel ritual que sintetiza la experiencia colectiva.

Por una parte, es irrefutable la presencia de intenciones estéticas: para los adornos son elegidos los elementos visualmente más relevantes (las plumas más hermosas y coloridas, las mejores combinaciones formales); los diseños de la cerámica y la cestería buscan siempre las soluciones más seguras, las formas más depuradas; y los rituales están impregnados de figuras muy expresivas. Sería absurda la importancia concedida a lo visual sin la existencia de una verdadera fruición en el indígena, que ornamenta su cuerpo con cuidado y produce objetos y representa situaciones cuyas formas tienen un desarrollo mucho mayor que el requerido por las necesidades estrictamente rituales o instrumentales. Por otra parte, esas formas están siempre habitadas por contenidos urgentes con los que se confunden enseguida; tienen un rápido reflejo poético que les impide cerrarse sobre sí y que las reenvía siempre al todo social.

En las culturas étnicas, la eficacia de las formas estéticas no debe, por lo tanto, ser estimada desde su mayor o menor independencia de funciones, sino desde su mayor o menor capacidad de reforzar los muchos contenidos colectivos e imaginar la unidad social. Al igual que los mitos (pero también, a través de los mitos) esas formas actúan como significantes condensadores de identidad y avales del contrato social. Por eso, las formas artísticas fundamentales, las más significativas y ajustadas, son las que mejor insertas están en zonas medulares del orden socioétnico; aquellas que sostienen las principales funciones religiosas, sociales y económicas. Esas formas son las referidas a las ceremonias rituales y la producción de objetos vinculados con el culto y los usos de subsistencia elementales.[7] La celebración ritual intensifica, remata y sobrepasa la experiencia comunitaria; en su representación convergen, potenciadas, las diferentes manifestaciones estéticas (elementos visuales, danzas, música y representación). Paradójicamente, cumple así el viejo sueño occidental de un arte total. Por eso, el hecho artístico se constituye desde su posibilidad de imaginar la síntesis de la cultura. En esta complicada operación el momento formal actúa, por cierto, pero no lo hace en forma aislada y predominante, sino acoplado con las funciones que representa y que secunda desde los argumentos de la apariencia. La belleza de los cuerpos guarnecidos para el ritual y la de los objetos exaltados en sus ornamentos y sus contornos no valen por sí mismas, sino como avales de los oficios prosaicos y las graves certezas que precisa la comunidad para subsistir. Involucradas con el destino más profundo de esa comunidad, las figuras del arte indígena deben ajustar sus formas al máximo para que puedan sostener el peso extremo de los deseos colectivos.

Este equilibrado maridaje entre las formas estéticas y sus significados sociales tiene un precio muy alto: la paula-

7. En general, el arte plumario, la cestería y la cerámica, entre los guaraní, y las pinturas corporales, los tatuajes y los tejidos de caraguatá, entre los chaqueños. La ornamentación corporal (con plumas, pinturas o tatuajes) significa funciones sociales, religiosas y políticas, mientras que los tejidos, la cestería y la cerámica se refieren sobre todo a funciones subsistenciales básicas: la agricultura guaraní, y la caza, la pesca y la recolección de los chaqueños. Todas estas formas expresivas apoyan (y se apoyan en) profundos significados rituales y míticos que aseguran aquellas funciones y avalan su continuidad. A los efectos de este trabajo, bajo la denominación de grupos "chaqueños", usada en sentido amplio, son englobadas las distintas comunidades étnicas no guaraní establecidas en la región occidental del Paraguay.

tina desintegración de aquellas, una vez diluidos estos. Los procesos de desestructuración de las culturas étnicas carcomen muchos de los contenidos originales y vacían progresivamente las correspondientes formas expresivas hasta debilitarlas y convertirlas en signos huecos y dispersos. Pero esto constituye ya otro problema que será considerado más adelante.

Representación de Nemur, divinidad ishir. Fotografía: Nicolás Richard, comunidad tomáraho de María Elena, Chaco paraguayo, 2002. Archivo: Departamento de Documentación e Investigaciones del Centro de Artes Visuales/ Museo del Barro, Asunción.

Dispersiones, desbordes

El contenido desarrollado bajo el apartado anterior se refirió en particular a las culturas indígenas originarias, en cuanto ellas ilustran nítidamente la remisión de las formas estéticas al conjunto social. Pero debe considerarse que en el arte mestizo, aunque de forma menos sistemática, también se repite el vínculo de lo estético con las diversas fuerzas que intervienen en cada proceso histórico; porque el universo cultural del mestizo, como el del indígena aculturado, carece de aquella cohesión primera, míticamente aglutinada y ritualmente reiterada. Las identidades mestizas (sobre todo rurales) fueron construidas sobre un terreno fracturado y abierto, erosionado por la cultura impuesta. Por eso sus representaciones operan de manera disgregada y, desconectadas entre sí, pocas veces logran confrontarse, cruzarse y trazar perspectivas que faciliten la anticipación imaginaria del conjunto.

La propia diversidad que caracteriza las culturas populares, así como las direcciones complejas y a veces contrapuestas de los factores que actúan en su desarrollo, dificultan las empresas integradoras. Ante la unidad y la homogeneidad impuestas de la cultura nacional, "no puede oponérsele sino una pluralidad o, mejor dicho, una atomización de culturas pequeñas e inermes de resistencia local, especialmente en zonas con larga tradición indígena y campesina" (Blanco, 1982: 24). Pero esas dispersiones no perturban solo la constitución imaginaria de un "nosotros" más amplio y mejor integrado (la construcción de identidades que sobrepasen el pequeño grupo, el sector reducido o la comunidad local), sino que bloquean la concertación de las identidades sectoriales en encuadres ciudadanos más complejos. Esta situación plantea un fundamental desafío político a las identidades populares tradicionales (incluidas ahora las indígenas): el de entrecruzar sus representaciones en conjuntos que apunten a la esfera pública y, desde allí, fortalecer las posiciones de los sectores particulares.

Pero volvamos al tema del arte, que tiene un papel fundamental no solo en la expresión de las identidades populares, sino en su misma constitución (y que podría también actuar como una fuerza importante para imaginar colectividades políticamente más complejas). A pesar de la tendencia dispersiva que afecta los sectores de origen rural tradicional, los puntos más altos de su producción artística se encuentran en ciertos objetos de uso cotidiano, ligados en su vértice a las funciones más vitales y vigentes, o bien a algunas formas conectadas a través de los rituales profano religiosos. Ciertas festividades patronales, por ejemplo, reinterpretan el culto eclesiástico oficial mediante imágenes y altares construidos por la comunidad y a través de escenas levantadas con máscaras y atuendos ceremoniales, y completadas con bandas de música (de antiguos ritmos reelaborados, tributarios siempre de sus orígenes indígenas o aun negros).[8] Más allá del escenario, la representación se prolonga en juegos y entretenimientos, danzas, chanzas y procesiones, convites y oraciones que conforman un conjunto híbrido en el que la función estética sirve, una vez más, de aglutinante de las otras: religiosas, sociales, lúdicas, etcétera.

Ciertos montajes hechos en ocasiones de fiestas religiosas también exponen con claridad su vocación híbrida, que las hace oscilar entre la religión y la fiesta civil, entre la forma sensible y la función social; tal el caso de desmesurados pesebres navideños, capaces de imaginar espacios imposibles y tiempos superpuestos empleando con desenfado cualquier material del entorno (arbustos, frutos y flores, imágenes de barro, fotografías, productos industriales, etcétera). O el caso de la ceremonia del culto a las cruces funerarias (*kurusú jeguá*), que integra ofrendas votivas, oraciones fúnebres y festejos en torno a una construcción de frondas, adornadas con figuras caprichosas de panes de

8. Sirvan como ilustración las festividades de San Pedro y San Pablo (Altos), San Baltasar (Tobatí e Itá), San Juan (diversos pueblos), San Francisco Solano (Emboscada), la Natividad de la Virgen (Altos), etcétera.

maíz, comidos de manera colectiva como parte del ritual. Irónicamente, si estas manifestaciones carecieran de sus propios significados rituales y tuvieran una mera intención estética, podrían ser con facilidad clasificadas bajo diversas categorías eruditas del arte actual (*happening*, *performance*, *body art*, ambientaciones, *enviroment* e, incluso, *eat art*).

Ceremonia del *kurusú jeguá*: una niña dispone las *chipas*, panes de maíz, en el ramaje que arma la escena ritual. Fotografía: Fernando Allen, Asunción, 2010. Archivo del autor.

Pero, en verdad, hay varias coincidencias entre aquellos montajes y estas expresiones de origen vanguardístico: unos y otras trabajan el espacio, apelan a la participación del espectador, invocan la integración del arte con la vida cotidiana, integran distintas disciplinas y géneros (danza, plástica, música, teatro) y emplean los más variados soportes, incluido el cuerpo humano. Es justamente a través de este repertorio diverso que el arte experimental de hoy cuestiona el concepto restrictivo de arte; esos desbordes de la escena tradicional le permiten considerar como artísticos fenómenos que no eran reconocidos como tales por no cumplir con las convenciones impuestas por ese concepto.

Industria, forma y función

Para volver sobre los problemas que plantea la oposición forma/función, puede resultar útil repasar algunas consecuencias del debate que, a partir del siglo XIX, se instaló en Europa en torno a las relaciones entre el arte, la producción industrial y la artesanía. El reemplazo del sistema artesanal de producción por la etapa industrial y el desarrollo tecnológico promueve el desprendimiento entre la forma y la función, que bifurca todo el devenir del arte moderno y promueve diversos intentos de conciliación entre los términos enfrentados.

Por un lado, debe considerarse la valorización de la producción manual artesanal hecha por los ingleses Ruskin y Morris (*Arts and Crafts*); por otro, las preocupaciones de la Sezession vienesa por la inautenticidad del producto industrial y, posteriormente, el intento de renovar las "artes decorativas" a través de la máquina para promover la difusión de la producción estética (Van de Velde, Gropius). Estas situaciones generan una larga y ardua controversia acerca de las posibilidades artísticas del objeto industrial, debate que vuelve mucho más complejo el concepto mismo de función. Para la estética industrial deviene este un término problemático y a veces ecléctico que complica y renueva la discusión acerca de sus difíciles relaciones con la forma pura.[9] Desde las posiciones declaradamente antikantianas que propugnan una "belleza funcional" hasta los muchos intentos de conciliar, si no identificar, belleza y utilidad a través de la "racionalidad funcional", o la franca declaración de incompatibilidad entre ambas nociones, los teóricos de la estética industrial, aun reexaminando los términos, vuelven a avivar una distinción que parecía olvidada: la establecida entre las artes libres y las aplicadas. Sin pretender en absoluto abordar esta polémica, que se desenvuelve en otro ámbito que el referido a este trabajo, parece oportuno extraer de ella algunas consecuencias que pueden servir de aporte al tema que viene encarando este texto.

El mencionado debate comienza por revisar el propio término *función*: impugna definitivamente la acepción que lo identificaba de forma ingenua con el fin práctico o técnico, el destino inmediato del objeto (la función de una vasija es contener agua, etcétera) y remite a un concepto más complejo que considera que, en puridad, no puede darse el caso de que una forma sea tributaria de una sola función, sino de una intrincada combinación de funciones. Y muchas de estas "funciones de conjunto", para usar un término de M. Bill, no implican finalidades prácticas o utilitarias, sino contenidos socioculturales varios, connotaciones complejas, símbolos.

9. En realidad, dicho concepto se va alterando y complicando a lo largo del enrevesado discurrir del pensamiento moderno. Paradójicamente, este pensamiento comienza exigiendo castidad a la forma, pero, al mismo tiempo, precisa cada vez más apoyar el funcionalismo, que poco a poco va ganando terreno hasta llegar a convertirse en uno de los paradigmas de la modernidad. Por eso dice Baudrillard, refiriéndose a la funcionalidad, que "este término, que encierra todos los principios de la modernidad, es perfectamente ambiguo. Derivado de *función*, sugiere que el objeto se consuma en su relación exacta con el mundo real y con las necesidades del hombre. De hecho, de los análisis anteriores se desprende que *funcional* no califica de ninguna manera lo que está adaptado a un fin, sino a un orden o a un sistema: la funcionalidad es la facultad de integrarse a un conjunto. Para el objeto, es la posibilidad de rebasar precisamente su *función* y llegar a una función segunda, convertirse en elemento de juego, de combinación, de cálculo, en un sistema universal de signos" (Baudrillard, 1985: 71).

Hasta acá nada nuevo: por caminos bien diferentes aunque a veces cruzados, la antropología y la semiótica habían arribado a esas mismas conclusiones con un menor esfuerzo. Pero hay una distinción tampoco tan nueva de la Estética que, conectada con lo ya expuesto, vuelve a actualizarse en el terreno del *Industrial design* y puede contribuir a adelantar este estudio. Según a qué tipo de funciones correspondan las formas, se habla tradicionalmente de tres modalidades de objetos: los bellos (varias funciones del mismo valor), los expresivos (una función fundamental hegemónica) y los ornamentales (una función secundaria). Cualquiera de estos objetos puede tener un carácter estético, dice la estética industrial, pero solo se convierte en artístico cuando se le acopla una significación poética; es decir, cuando dicho objeto es capaz de provocar una conmoción develadora, la eclosión de una realidad nueva (Morpurgo-Tagliabue, 1971: 476-478). Según esta perspectiva –desde la cual puede argumentarse en pro de las posibilidades artísticas de lo popular–, la "artisticidad" no está medida por la carencia de funciones, sino por la posibilidad de que las formas lleguen a provocar ese choque desencadenante de nuevos significados que constituye el efecto artístico fundamental. Muchos objetos, aun bellos (estéticos) y por completo desvinculados de intenciones utilitarias, pueden carecer de estatuto artístico si sus formas no tienen la fuerza necesaria para impugnar su pura presencia y abrirla a otros sentidos; es decir, si carecen de la convicción necesaria para producir un desfase con su propia realidad por el que se cuelen otras realidades. Así, aunque provistos de la "inutilidad sin fin" requerida por el idealismo estético, esos objetos no pueden ser considerados obras de arte si no son capaces de convocar el develamiento de la verdad, al que se refiere Heidegger, o producir ese fenómeno de asombro o turbación ante la eclosión de algo nuevo, del que hablaban ya los antiguos.

Morpurgo-Tagliabue sostiene que el producto industrial es a menudo estético, pero difícilmente artístico, y no porque sea funcional, sino porque la estandarización industrial tiende a consumar las formas impidiendo el efecto poético de choque, y a fijar las funciones estorbando la generación de significaciones nuevas:

> Se ve aquí cómo precisamente la funcionalidad constituye un obstáculo para el arte, no porque lo útil y lo bello sean incompatibles entre sí (por el contrario...) sino porque en este caso lo útil es conocido, descontado, y su funcionalidad está fija, estandarizada. [...] Así se explica por qué los antiguos artesanos para hacer obras de arte con objetos de uso corriente con una función fija recurrieron a la ornamentación; [...] la función que exhiben de este modo no es jamás la función propiamente utilitaria sino una función secundaria, la función ornamental (Morpurgo-Tagliabue, 1971: 479-480).

Juana de Rodríguez, viuda del reconocido santero Cándido Rodríguez, talla en madera la representación de un santo. La mujer rompe la rigurosa tradición, de origen colonial, según la cual la práctica "santera" es exclusivamente masculina. Fotografía: Osvaldo Salerno, Capiatá, 2008. Archivo: Departamento de Documentación e Investigaciones del Centro de Artes Visuales/Museo del Barro, Asunción.

Es que el arte resulta incompatible con las lecturas unívocas, las referencias establecidas, el sentido único. Por eso los objetos son artísticos, sean útiles o no, en la medida en que puedan zafarse del brete de temas o destinos prefijados y desatar significados plurales que escapen del cerco cerrado de su propio sistema de producción estética y se abran a los contenidos complejos de su tiempo. Desde esta perspectiva, la cuestión de los límites del arte popular no difiere del tema de los lindes del arte erudito. Por supuesto que no toda la producción visual de una comunidad popular deviene hecho artístico; muchos de los objetos no trascienden su materialidad: son, en realidad, meros productos artesanales, incapaces de desafiar su propio estatuto de instrumento. Pero, consecuentes con este criterio, debemos reconocer que hay otras tantas creaciones del arte culto que, aun bellas y armónicas, no rebasan su presencia y permanecen como simples esculturas, pinturas o dibujos inertes, desprovistos de nervio poético, incapaces de resignificar.

Es por eso que hay tanta dificultad en trazar las fronteras no solo de manifestaciones artísticas populares, sino de cualquier otra manifestación artística. Los particulares contextos históricos, que afectan toda producción de arte, no solo plantean problemas y proveen imágenes, sino que determinan empleos diferentes de lo estético. El mismo Mukarovsky, para quien –según queda señalado– la distinción entre lo que es y no es arte está en teoría tan claramente marcada por la hegemonía de la función estética, reconoce que:

> Es evidente que la transición entre el arte y la esfera extraartística [...] es tan poco distinguible y de comprobación tan complicada, que una delimitación realmente precisa es ilusoria. Es necesario, pues, renunciar a cualquier intento de establecer un límite entre arte y no-arte, entre lo estético y lo extraestético (Mukarovsky, 1977: 50).

El carácter borroso y huidizo de las fronteras, así como la índole resbalosa del campo de la producción simbólica, aminora en los hechos las consecuencias de clasificaciones demasiado tajantes, y constituye cierta garantía contra los excesos formalistas de conceptos que, al clausurar sus contornos e intentar delimitarlo todo, terminan dejando afuera demasiadas cosas.

Acerca de lo único

La unicidad constituye otro atributo histórico del arte culto exigido como pasaporte para ingresar en el reino de lo artístico en general. Para conseguirlo, no pocos estudiosos de la cultura popular reformulan la oposición arte/artesanía distinguiendo entre los productos artesanales –que repiten cánones colectivos– y los artísticos –que introducen una diferencia singular que vuelve la pieza un ejemplar único–. En verdad, el culto a lo singular y exclusivo proviene de la fetichización del objeto tradicional y no hace a sus verdaderas potencialidades artísticas; corresponde a un momento histórico ligado a la conversión del producto artístico en mercancía y a su consiguiente autonomización, cuyas consecuencias en la definición de lo artístico moderno ya fueron señaladas. Marchán Fiz sostiene que este fenómeno es el responsable directo de la distinción entre artes liberales y artes bellas, así como de la concepción humanista de la realidad superior del arte. "La independencia del artista frente al artesano se conjuga progresivamente con la concepción aristocrática de la obra como algo único, singular, irreductible" (Marchán Fiz, 1974: 50).

El concepto ilustrado de arte resulta estrecho e insuficiente precisamente porque se basa en un reduccionismo: se identifica con un producto histórico determinado y deja de lado objetos y hechos de la cultura popular que, por haber sido creados en otras condiciones, tienen cualidades y posibilidades diferentes. La singularidad nunca ha sido una pretensión del arte popular, ajeno tanto a la ideología humanista de la autonomía creadora como a los sueños románticos del genio original. El fuerte peso social que tienen los patrones estilísticos en su constitución descarta de entrada toda posibilidad de que el arte popular sea valorado desde la creación individual, y hace que esta no tenga el mismo sentido para un artista popular que para uno culto; el creador popular debe siempre remitirse a la experiencia colectiva para producir, aunque la elabora y la transforma continuamente. Es cierto que, en general, cada pieza hecha a mano por un artista popular suele incorporar, aunque fueren mínimas, variaciones propias, pero es evidente que aun las piezas hechas con moldes pueden ser consideradas obras de arte, en la medida en que sus fuerzas tengan la potencia para expresar y renovar contenidos sociales. Muchas veces cambian las circunstancias en las que se genera el arte popular y aumenta la importancia del artista individual y de la particularidad de su obra, pero ese destaque de la persona del creador debe ser entendido como fruto de nuevas contingencias históricas y no como el cumplimiento de una condición abstracta de artisticidad.

Por último, es importante recordar que dentro de la modernidad el valor de lo único ha debido reformularse desde los inicios mismos de la industrialización: la era de la reproducibilidad técnica (y la de las nuevas tecnologías) ha debido disfrazar el deseo del ejemplar único con nuevas razones que extienden el valor aurático de los productos aun a los realizados en serie, pero retacea ese valor a la hora de considerar creaciones provenientes de otras culturas (nadie niega por supuesto la artisticidad de la fotografía, el cine, el video, el grabado, etcétera, mientras sean producidos en los circuitos de filiación ilustrada).

Recapitulaciones

Para hablar de arte popular se hace necesario partir no solo de una licencia lingüística o de una concesiva ampliación del concepto de arte, sino de un análisis de cuáles son las notas básicas que, de hecho, reconoce la propia teoría estética a este concepto, más allá de las barreras que levanta la cultura dominante para preservar la exclusividad de su terreno. Para esto es necesario discutir el mito que sostiene que solo determinadas prácticas de la cultura moderna occidental, en cuanto más maduras y superiores, consiguen alcanzar ciertas cumbres iluminadas del espíritu y convertirse, en consecuencia, en expresiones únicas de la humanidad.

Si tal enunciado no conllevara juicios discriminatorios, no habría problema alguno en aceptar lo que constituiría simplemente una denominación distinta para una práctica específica. Pero cuando el título de arte aparece como un privilegio autoconcedido por la cultura dominante y se convierte en un obstáculo para el derecho al reconocimiento de las otras particularidades culturales, entonces, tanto por razones políticas (reivindicación de tal derecho) como por exigencias teóricas (necesidad de desmitificar historias) se justifica la discusión de los alcances reales de aquel término esquivo.

De hecho, lo que desde la perspectiva de la cultura occidental caracteriza de modo amplio una obra de arte es la acción de dos momentos inseparables: la manipulación de formas sensibles y la manifestación de nuevos sentidos de lo real. Por cierto, ambos operan con intensidad en determinados fenómenos de la cultura indígena. En efecto, esta se halla cruzada (y sostenida en gran parte) por fuertes nervaduras formales que tienen una misión estética. Se encuentra compuesta por imágenes, figuras sensibles, estructuradas según criterios determinados de manejo de color y equilibrio, de composición y movimiento. En cuanto esas imágenes se hallan enredadas en la trama de lo social, es difícil aislarlas sin deshilachar un tejido apretado ni contrariar su destino, pero, encubiertas, ellas actúan subrepticiamente como fuerzas ocultas que apuntan a lo real y apuran, así, el camino del sentido, o los sentidos, sociales.

Insistimos: ambos momentos, el *estético*, que juega con las formas, y el *poético*, que reconstruye la realidad desde ese juego, están presentes en ciertos recodos del enrevesado discurrir de las culturas populares. En las culturas occidentales modernas esos momentos se manifiestan de manera diferente; el arte que surge en aquellas incuba entre estos conflictos que cada situación histórica va solucionando contingentemente. El desajuste entre significado y significante y el viejo e inútil intento de empalmarlos dinamizan sus procesos y les otorgan rasgos característicos. Lévi-Strauss lo dice muy bien: "el arte se queda siempre a medio camino entre el objeto y el lenguaje" (Lévi-Strauss, 1968: 97). Ni mera forma ni puro contenido, oscila entre ambos polos de manera inevitable, buscando colmar la carencia que deja abierta su realidad escindida.[10]

El pensamiento occidental necesita aclarar las fronteras de sus complejas y vastas regiones y divide, meticuloso y obsesivo, su reino en porciones ordenadas y subporciones exactas: cada una de ellas es epistemológicamente autónoma (aunque todas mantienen entre sí oscuros vínculos capaces de reconstruir en secreto las totalidades perdidas). Por eso la modernidad independiza el terreno de la emoción estética y le reconoce leyes y códigos propios. Pero ese afán separatista es hijo de determinadas condiciones históricas y no hace a lo que la propia cultura occidental reconoce, de hecho, como definitorio del arte; ciertas culturas alternativas no solo no precisan clasificar sus espacios, trazar linderos y marcar fronteras, sino que, por el contrario, fundan la misma representación de la realidad en el acuerdo de sus diversos aspectos.

Por otra parte, aun reconocidas las razones de una sociedad para aislar metodológicamente el momento formal de acuerdo con sus necesidades históricas, esta misma pretensión deviene en gran parte una ilusión, otro mito.

10. Desde sus orígenes, el arte moderno se afana en pos del sueño imposible de ese equilibrio esquivo. El Renacimiento parece inaugurar la historia moderna con una síntesis, pero ese momento, como dice Wölfflin, es apenas un punto ideal, una "sutil cresta" enseguida tragada por su propio movimiento. De inmediato, el Renacimiento se bifurca: el manierismo es más bien formalista; el barroco, contenidista. Y a partir de ahí, clásicos y románticos, impresionistas y expresionistas, cubistas y surrealistas, desde distintos ángulos, luchan siempre por compensar el exceso o el defecto de las posturas contrarias. Y así hasta hoy. ¿Acaso el expresionismo salvaje actual no es, en parte, un alegato de los contenidos en contra de los abusos conceptuales de la década anterior, que a fuerza de cargar sobre la forma estaban a punto de romperla?

Aunque suene paradójico, ciertas formas de tapices indígenas son más autónomas, más puras, que las de un paisaje renacentista o, aun, impresionista: no están lastradas por la fuerte carga referencial que arrastran siempre las formas del arte occidental y comprometen su autonomía. Ya en 1927, Franz Boas había observado la independencia de la forma respecto de la naturaleza en el estilizado arte de ciertos pueblos. Merquior cree que esa soberanía ocurre a nivel de la representación pero no en el plano sociológico, ya que el arte *primitivo* se encuentra al servicio de lo social (Merquior, 1978: 14). Con el arte occidental ocurriría lo contrario: sus formas son más autónomas con respecto al cuerpo cultural en el cual se encuentra inserto, pero no pueden terminar de despegarse de la apariencia sensible de los fenómenos naturales.

Cuando Lévi-Strauss compara el arte "primitivo" con el occidental (que se aparta del primero solo a partir del Quattrocento, salvo el intervalo del arte griego clásico) dice que "la diferencia corresponde a dos órdenes de hechos: por una parte, lo que podríamos llamar individualización de la producción artística, y por la otra, su carácter cada vez más figurativo o representativo" (Lévi-Strauss, 1968: 51). Ambos aspectos tienen para él un sentido de pérdida: en primer lugar, el decaimiento de los vínculos colectivos y, en segundo, la rarefacción de la significación (el figurativismo proviene del "debilitamiento de la función significativa de la obra"). El arte indígena esquiva el figurativismo porque, en gran parte, su objeto se encuentra vinculado con experiencias sociorreligiosas en sí mismas irrepresentables; por eso es fundamentalmente abstracto: al desentenderse de las exigencias de la denotación inmediata, se mueve mucho más por construcciones retóricas que por referencias directas. (Lo que, paradójicamente, constituye uno de los principios centrales del arte occidental).

Pero, a partir de una situación tomada solo como ejemplo, lo que se quiere destacar aquí es un principio del relativismo cultural (que no conviene neutralizar absolutizándolo): la particularidad de cada forma histórica de arte.

No hay procesos artísticos peores o mejores como no hay lenguajes superiores ni inferiores: todo sistema simbólico debe ser considerado de acuerdo con los requerimientos a que responde. Por eso el arte popular, como cualquier forma de arte, es el resultado de una determinada manipulación de formas sensibles que, al encarar lo real, promueve una comprensión más intensa de este y revela accesos secretos propios, solo comprensibles de manera imaginaria. Y, por eso, debe refutarse el mito que pretende que determinados rasgos históricos se vuelvan verdades eternas. En cuanto ciertas notas coyunturales de la creación moderna dejen de ser entendidas como arquetipos metafísicos y esgrimidas como modelos normativos universales, se estará consolidando el reconocimiento de la diferencia cultural. Pero discutir la hegemonía de los principios modernos también permite abrir una salida al propio concepto occidental de arte que, confinado en límites infranqueables e identificado con un solo tiempo de una historia múltiple, se encuentra expuesto, una vez más, a la condena fatal que pronunciara Hegel.

Capítulo 2

LA CUESTIÓN DE LO POPULAR

Lo popular como mito

A la hora de analizar el concepto *arte popular*, las ambigüedades del primer término presentan tantos problemas como las del segundo. Las dificultades de aquel provienen de la aplicación abusiva de un modelo de arte a realidades que no le corresponden (la categoría de *arte moderno* devenida arquetipo universal); mientras que los apuros del segundo resultan de la diversidad de acepciones que tiene el vocablo *pueblo*, enredado en ideologías y manejado desde diferentes lugares disciplinales. La cuestión de qué es el pueblo, de quiénes son pueblo, es compleja porque el contenido de este término aparece simultáneamente recortado desde enfoques distintos. Por eso, unas veces se entiende por pueblo la masa; otras, el conjunto de ciudadanos sujetos de derechos y obligaciones jurídicas, una entidad metafísica ideal, las mayorías demográficas, las clases explotadas, el conjunto de los sectores subalternos, etcétera.

Partamos del ámbito político, probable tierra natal del término. Para el pensamiento liberal tradicional, el pueblo (definido como Tercer Estado, opuesto a la Nobleza y al Clero) encarna el ideal republicano de la Nación; es la sede de la soberanía, el sujeto de los derechos cívicos, el depositario de la voluntad general, etcétera. El marxismo dogmático tiene actitudes dispares ante el término pueblo. Por un lado, lo trata con desinterés: como no lo identifica con el proletariado en sentido estricto, lo coloca al margen de la lucha de clases y lo hace coincidir vagamente con la pequeña burguesía rural o urbana. Por otro, cierto pragmatismo de filiación leninista otorga el título de pueblo a cada sector que asuma coyunturalmente una posición calificada como revolucionaria.

Marilena de Souza Chaui analiza diferentes maneras de aplicar el adjetivo *popular*, partiendo de la crítica de dos posiciones divergentes a las que llama *ilustrada* y *romántica*. Los ilustrados entienden lo cultural como un proceso de perfeccionamiento en pos de lo racional. Este proceso comprende tanto la cultura *individual*, basada en un proceso de crecimiento moral e intelectual (la "buena educación"), como la *histórica*, movida por el despliegue del Espíritu Universal (Hegel) o por las prácticas sociales (Marx). Desde este concepto, la cultura popular es irracional y retrógrada: las vertientes ilustradas *clásicas* la consideran irremisiblemente inferior; las *vanguardistas* piensan que podrá ser salvada por un grupo de artistas e intelectuales a través de una adecuada "concientización" que la despertará de su esencial embotamiento y le hará realizar "las leyes objetivas de la historia" (De Souza Chaui, 1986: 108).

Para la segunda opción, la romántica, lo popular expresa un pueblo orgánico, un sujeto creador, una totalidad animada por el Espíritu del Pueblo (*Volksgeist*) que, en su fuerza pura y simple, se opone al racionalismo y al utilitarismo de la Ilustración (De Souza Chaui, 1986: 17). Este pueblo (tenido por instintivo e irracional, enraizado en la tradición, bueno y sensible por naturaleza, sentimentalmente puro y emotivo) es fundamento de los rasgos característicos principales que el romanticismo otorga a la cultura popular: primitivismo (la cultura popular supone siempre preservación de tradiciones), comunitarismo (la creación popular es colectiva y anónima, en cuanto manifestación espontánea del Espíritu del Pueblo) y purismo (los originales signos populares no se contaminan por hábitos extraños). América Latina tiene una larga tradición de antagonismos entre ambos grupos. En el Paraguay, los liberales y los nacionalistas son los respectivos representantes históricos de las líneas ilustrada y romántica.[1]

Imbricadas en la trama de la cultura hegemónica, ambas posiciones rematan en el populismo. Es que, en algún momento, de ida o de vuelta, románticos e ilustrados se encuentran en un punto común: la concepción del pueblo como una unidad abstracta, como una esencia previa a su propia historia. Ese es el mito básico que concilia a los oponentes. Ciertos mitos deben justificar y persuadir; actúan como el canto de sirena de la operación hegemónica. Barthes dice que ellos constituyen el instrumento más apropiado para la inversión ideológica; producen una prestidigitación que trastoca lo real volviéndolo inocente e inmóvil: "el mundo entra en el lenguaje como una relación dialéctica de actividades [...] sale del mito como un cuadro armonioso de esencias" (Barthes, 1981: 238). Este mito dulcifica y tranquiliza, esconde meticulosamente todo rastro de conflicto, finge equilibrio y simetría. Mitificada, la historia pierde su sentido de construcción y de proceso; sus momentos y sus agentes aparecen congelados en una mueca que niega la oposición o la presenta como un acto abstracto, una exterioridad absoluta. (La historiografía oficial, madre de mitos, corrige con amabilidad los hechos de la Conquista, presentada como un encuentro idílico; disfraza las oposiciones entre los "padres de la patria", simplifica maniqueístamente las confrontaciones. Al final, la historia se convierte en una gesta ejemplar de héroes ilustres y epopeyas gloriosas.)

Tocados por el mito oficial, pueblos, sectores, etnias y clases se detienen en el acto, olvidan sus diferencias y se funden en un solo molde redentor. Los liberales ilustrados mitifican el pueblo al retomar, de hecho, la antigua división romana que distingue *Populus* y *Plebs*. El primero, portador de la voluntad universal y sede de la Razón, nada tiene que

1. El liberalismo tiene un tono aristocrático; el nacionalismo, aunque críe opulentas oligarquías, presume de popular: se presenta como depositario de un "ser nacional" vinculado con la raza y reivindica la recuperación del pasado como raíz y fundamento de la nacionalidad.

ver con el segundo: el pueblo como particularidad social (la plebe, el vulgo, el populacho). Desde otro ángulo, los diversos nacionalismos románticos lo idealizan borrando sus diferencias y convirtiéndolo en un arquetipo de difuso contenido que tampoco parece coincidir con ningún "pueblo" específico.

Persiguiendo el mismo fantasma, ambas posiciones desembocan en los terrenos míticos del populismo, ese espacio inmutable y sereno que desconoce conflictos y no admite contradicciones. Allí, el pueblo es concebido como un conjunto social homogéneo y compacto ubicado siempre en un punto ideal; es una entidad nebulosa, conceptualmente inasible, a la que solo puede accederse a través del rodeo de lo emotivo y lo literario. "El concepto de pueblo –escribe Bobbio– no está jamás racionalizado en el populismo, sino, más bien, intuido o postulado apocadípticamente" (Bobbio, Matteuci y Pasquino,1981: 1280). Por lo tanto, según este autor, el populismo no tiene una elaboración teórica sistemática: es más bien un síndrome que una doctrina. Esta misma vaguedad le permite filtrarse tanto en la derecha como en la izquierda y ubicarse al comienzo o al final de nostálgicas historias o de proyectos utópicos: el pueblo es neutralizado a través de nociones abstractas que lo convierten en paradigma; en la añoranza de un pasado a punto de perderse o la esperanza de una incierta meta que alguna vez se alcanzará. En los siguientes puntos serán analizadas con brevedad dos versiones populistas: la del nacionalismo oficial y la del vanguardismo; ambas marcan fuertemente la definición de lo popular, por lo menos en el sentido que estamos dando a ese concepto en su relación con la producción artística.

Pueblo, Nación, indio y tradición

Los dispositivos míticos del nacionalismo disuelven las diferencias en aras de un abstracto ideal de totalidad. Mediante ellos, la Nación deviene matriz de unidad social y fundamento y corolario de la historia. Y su concepto opera como una categoría a priori, otra esencia que flota ingrávida por encima de los avatares de los procesos que nombra. Trabados los movimientos históricos, sustancializados sus agentes, el populismo nacionalista echa mano de dos dispositivos para escamotear la dimensión histórica y política de lo popular. Por un lado, el fundamento de la especificidad nacional es buscado en *la tradición, la tierra* y *la sangre* absolutizando factores biológico telúricos que no constituyen más que condicionamientos de procesos concretos. Por otro, se pretende fraguar lo popular en la horma del Estado, en cuyo indiviso contenido terminaría disuelto. El nacionalismo oficialista hace de esta figura (lo nacional como unidad homogénea) una consigna y, tras ella, erradica el conflicto en todos los planos: la diferencia termina siempre ubicada en el exterior del sistema.

Analizando el caso paraguayo, Arditi escribe que, desde el momento en que la visión autoritaria se funda sobre una idea organicista de la sociedad y una concepción del orden como terreno homogéneo y cerrado, "el conflicto y la disidencia pasan a ser considerados elementos externos que se introducen en el interior de un sistema naturalmente armónico con el propósito de perturbar y desestabilizar su funcionamiento" (Arditi, 1987: 20). Es que, absorbida por el Estado, la diversidad social pierde su complejidad y deviene un todo compacto desde el cual lo diferente es considerado una anomalía ajena al "ser nacional" y la divergencia es explicada como una desviación ("malos paraguayos") o como un fenómeno de infiltración de "ideologías foráneas". (Así, para el discurso oficial los liberales son "legionarios";[2] los febreristas, semifascistas o subversivos; los izquierdistas, delincuentes terroristas; y todos los opositores, comunistas. Pero, de hecho, los partidos tradicionales de la oposición también suponen más o menos

2. Se llamaba "legionarios" a los miembros de la Legión Paraguaya, la pequeña fuerza militar de exiliados paraguayos que durante la Guerra de la Triple Alianza (1864-1870) había peleado al lado de los aliados (brasileros, argentinos y uruguayos) contra el Mariscal Francisco Solano López.

explícitamente un rechazo a asumir la alteridad y tienden a concebir lo nacional como idéntico a sí mismo.)

De aquí la negación del conflicto y la permanente necesidad de encubrir los aspectos contradictorios y escamotear diferencias y tensiones internas: el "alma nacional" es una. Y anima un pueblo heroico que avanza en épica gesta desde su directo antepasado guaraní hacia algún futuro glorioso y triunfal. El nacionalismo echa sobre la historia una mirada medusiana, un manto de lava que petrifica a los actores y sus prácticas y los convierte en monumentos. Las obras se cosifican, lo específico se vuelve típico; lo propio, folclórico. Este es un buen mecanismo para banalizar la expresión popular y desactivar sus posibles resortes políticos, reduciéndola a una versión boba y cursi de sí misma y convirtiéndola en inofensiva y domesticada mercancía, en pintoresca artesanía. Pero también es un buen sistema para oscurecer la dependencia y la dominación, para velar las contradicciones sociales que saltan al enfrentarse lo nacional y lo popular concretos.

Un hombre aché luce pinturas faciales guerreras y porta arco y flechas durante una manifestación realizada en demanda de tierras ante el Congreso. Fotografía: Arístides Escobar Argaña, Asunción, 2007. Archivo del autor.

Por eso, al mismo tiempo que el pueblo y el indio, purgados de conflictos, son convertidos en savia de la nacionalidad y colocados en los altares de la tradición, los sectores populares y las etnias actuales son expulsados de la escena donde se juegan los verdaderos "destinos de la Nación". Esto es sobre todo claro en el caso del indígena, quien, como dice Lauer, "por momentos parece tener toda la identidad de América Latina, pero siempre termina siendo el depositario universal de su miseria" (Lauer, 1982: 112).

Los tutores

Desde más hacia la izquierda, aunque conectada con el discurso liberal, viene otra forma de manipulación populista. Las vanguardias exaltan al pueblo en abstracto, pero, de hecho, lo menosprecian al considerarlo incapaz de asumir sus propias gestiones. A partir del mito de que el pueblo es ingenuo y pasivo se supone que debe ser educado y concientizado, controlado y conducido hacia la senda correcta. De Souza Chaui sostiene que, ocupando el antiguo lugar de los ilustrados, la nueva vanguardia popular supone tres tipos de cultura: la alienada (correspondiente a la de la clase dominante), la cultura del pueblo (tosca, atrasada, trivial, primitiva, lúdica, decorativa y conformista) y la cultura popular revolucionaria (movida por las vanguardias):

> La cultura popular es aquella producida por artistas e intelectuales que "optaron por ser pueblo" y se dedican a la concientización. [...] Existen, por lo tanto, *dos* pueblos y *dos* culturas populares: el pueblo atrasado, inconsciente y su cultura trivial e inculta; y el *buen pueblo*, consciente, culto, avanzado y la cultura vanguardista que lo hará realizar las leyes objetivas de la historia [...]; esencialista, normativo, prescriptivo y pedagógico, ese discurso populista es una de las formas ejemplares de autoritarismo, en particular de los intelectuales (De Souza Chaui, 1986: 109).

En ese discurso no se escucha "la voz del pueblo", sino la de una minoría culta que decide representar los intereses de este y hablar en su nombre. Esta actitud pretende ejercer la tutela de los sectores populares (tenidos como menores de edad o minusválidos) sin escuchar lo que ellos consideran que son sus necesidades y proyectos y sin reconocer, como dice Colombres, que son estos mismos sectores los únicos autorizados a modificar los datos de su propia realidad.

En diferentes dosis, el paternalismo se filtra en todas aquellas actitudes que intentan decidir lo que conviene o no al pueblo, desconociendo el derecho a la autodeterminación. Un debate sucedido en la capital del Paraguay en 1986 puede acercar un ejemplo de esa actitud sobreprotectora. En febrero de ese año, los indígenas chiriguano guaraní de Santa Teresita (Mariscal Estigarribia, Chaco Paraguayo) decidieron representar en Asunción ciertas festividades de su ceremonia religiosa (el Areté Guasú) con el fin de conseguir fondos para su cooperativa. Apenas anunciado el proyecto, ciertos indigenistas criticaron la impertinencia de mostrar en la ciudad los secretos de la tierra incógnita.[3] Se publicaron sobre el tema enfrentados artículos, cartas abiertas y declaraciones, pero a nadie se le ocurrió dirigirse a los representantes indígenas y discutir con ellos sus temores de que el "buen salvaje" perdiera la inocencia y contaminara sus raíces ancestrales.

Por más de que, para simplificar los ejemplos, se coloque ambas posiciones enfrentadas en un terreno tan deslizadizo como el del populismo, las posturas de derecha o de izquierda se resbalan con facilidad, se cruzan y se confunden. El populismo nacionalista es tomado a menudo por sectores de artistas e intelectuales que mitifican las figuras del pueblo y la Nación e invocan razas y tradiciones idílicas. Y lo hacen mediante un discurso que descubre su coincidencia con el oficial en su pasión por ciertas esdrújulas: lo autóctono, telúrico, atávico, au-

3. Pueden consultarse, en este sentido, las ediciones del diario *Hoy* de Asunción del 18 y el 25 de enero de 1986.

téntico, folclórico, vernáculo, etcétera. La proyección regional de este nacionalismo es el *latinoamericanismo*, que canta triunfal a una América Latina uniformada por una dependencia común y un mismo pasado indígena y colonial, y vuelta una sola por idénticos proyectos. En esta nueva sustancia, toda particularidad se vuelve apenas la diferencia específica de un género abstracto y totalizador y, una vez más, las prácticas aparecen disecadas y las contradicciones internas embozadas. (La versión de derecha del paternalismo vanguardista es el caudillismo: una suerte de dictadura popular, a lo Albino Jara o Morínigo, que se autoproclama representante legítima del pueblo y alternativa de la oligarquía.)

Históricamente, los misioneros son los grandes pioneros del tutelaje: veían (y en gran parte siguen viendo) al indígena como a un niño ignorante que debe ser formado en la verdad civilizada, cuando no como a un bárbaro o un semibruto convertible a ser humano cabal mediante la redención cristiana; de hecho, la "conversión" es la figura clave del proceso evangelizador.[4]

Hegemonías

Al mito que idealiza el concepto de pueblo y lo convierte en contenido homogéneo de la Nación se contraponen definiciones clasistas de ese concepto. El pueblo, considerado

4. Los escritos de los mismos jesuitas son contundentes: Peramás escribe acerca de quienes "de racionales no tenían más que la apariencia"; Cardiel refiere que en los indígenas "Su entendimiento [...] era muy corto, como de niños; su discurso, muy débil y defectuoso"; Escandón, por su parte, que "generalmente ninguna de esta gente tiene más capacidad, inteligencia y juicio que, entre nosotros, en Europa, los niños", Lozano, que "su razón despuntaba tan poco que casi no difieren de los irracionales; más parecen brutos en pie que hombres con alma" y Sepp, que llama a los indígenas "seres o animales salvajes", concluye que "de esta historia se desprende cuán poca inteligencia tiene nuestro pueblo paracuario, de manera que los primeros misioneros con razón dudaban si los indios tenían suficiente juicio como para poder recibir los Santos Sacramentos" (En Escobar, 1982: 62).

a partir de las condiciones sociales de su producción, pasa a designar el conjunto de diferentes clases y fracciones de clases explotadas.[5] Pero esta definición también presenta problemas a la hora de observar lo popular en América Latina. Por una parte, es teóricamente sospechoso tanto abordar lo campesino y, sobre todo, lo étnico desde el concepto de clase, como encarar lo proletario desde el término *popular*;[6] en ambos casos, el cruce de categorías pertenecientes a ámbitos diversos ha servido más para embrollar la cuestión que para aclararla. Por otra, la presencia ineludible de fuerzas que actúan fuera del escenario de la producción económica ha despertado en los últimos años una especial atención que obliga a ampliar el concepto de lo popular para que incluya los diversos sectores explotados, oprimidos, marginados o discriminados cuyos conflictos con el sistema dominante no tienen necesariamente el carácter de contradicción de clase, sino que se abren en pos de diferentes demandas e intereses sectoriales (sociales, étnicos, regionales, sexuales, etcétera) y desde un sentido de identidad compartida.

Por eso este texto opta por caracterizar lo popular, en su sentido más amplio, a partir de las diferentes formas de subordinación de las grandes mayorías y de las minorías excluidas de una participación plena y efectiva, ya sea en lo social, lo económico, lo cultural o lo político, cuyas prácticas y discursos ocurren al margen o en contra de la dirección dominante. Esta caracterización remite al concepto gramsciano de hegemonía, que ha resultado espe-

5. Por ejemplo, Margulis, aunque hace del ámbito popular un campo potencial de alianzas que puede incluir otros sectores, entiende por *pueblo* "el conjunto de clases y fracciones de clases objetivamente perjudicados, explotados y oprimidos por la dinámica del capitalismo y la dependencia" (Margulis, 1984: 55).

6. Para evitar confusiones teóricas y trampas ideológicas, el vocablo *pueblo* es reservado por ciertos cientistas sociales para nombrar justamente los sectores diferentes de la clase obrera (por ejemplo, Castells, 1979: 435 y Weffort, 1979: 431).

cialmente fructífero para definir lo subalterno popular en América Latina.[7] En principio, existe una oposición entre la cultura de los sectores dominantes y la de los subordinados: la una busca justificar la dominación a través de sus mitos cómplices y sus diversos mecanismos ideológicos (en su sentido de ocultación y distorsión de la realidad), la otra no tiene por qué patrocinar un sistema que no le conviene y en el que participa como perdedora; entonces, o impugna la cultura dominante o, por lo menos, procura mantener la propia. Es decir, ambas buscan reproducirse a través de sistemas de representación que apuntalen y movilicen sus mundos de sentido; pero, en cuanto la cultura dominante es hegemónica, logra que su proyecto articule los demás y, al menos en parte, devenga vigente para todos los sectores.

Ahora bien, este logro no supone una imposición forzosa, sino la aceptación de reglas de juego colectivas y la construcción de un espacio de negociaciones, renuncias, pactos y consensos básicos en función de intereses compartidos. Este concepto de hegemonía permite, así, sortear las simplificaciones maniqueístas que enfrentan lo dominante y lo dominado de una manera tajante y definitiva, como si fueran dos sustancias completas, encerradas cada una en sí misma y opuestas metafísicamente. La cultura hegemónica no opera mediante la mera imposición coercitiva o la transmisión unilateral y automática de las imágenes y valores que la legitiman, sino a través de una interrelación compleja de fuerzas, un forcejeo confuso que

7. En forma sistemática, esta figura es utilizada sobre todo por García Canclini, que la ubica en el centro de su caracterización de lo subalterno. "La hegemonía es entendida, a diferencia de la dominación –que se ejerce sobre adversarios y mediante la violencia–, como un proceso de dirección política e ideológica en el que una clase o sector logra una apropiación preferencial de las instancias de poder en alianza con otras clases, admitiendo espacios donde los grupos subalternos desarrollan prácticas independientes y no siempre funcionales para la reproducción del sistema" (García Canclini, 1986: 15).

nunca culmina en victorias o derrotas definitivas, sino en una tensión permanente de equilibrios siempre inestables. Según la definición de Portantiero:

> Acción hegemónica sería aquella constelación de prácticas políticas y culturales desplegada por una clase fundamental, a través de la cual logra articular bajo su dirección a otros grupos sociales mediante la construcción de una voluntad colectiva que, sacrificándolos parcialmente, traduce sus intereses corporativos en universales (Portantiero, 1981: 151).

Este necesario sacrificio parcial es el que abre un margen de acción política para que los sectores populares no se muevan como sujetos pasivos y silenciosos, manipulables al antojo de los dominantes, sino que resistan, cuestionen, se opongan y puedan crear acciones contrahegemónicas. Por eso, para ser hegemonizados, deben ser mínimamente seducidos, envueltos y persuadidos, y deben reconocer intereses propios en el proyecto articulador y sentirse identificados en muchas de sus propuestas.

El campo en el que se juega lo hegemónico es un terreno resbaladizo en el que las líneas procedentes de diferentes direcciones no solo se enfrentan, sino que se entrecruzan, se repelen, convergen o se entreveran formando tramas híbridas; es un ámbito crepuscular en el que aliados y adversarios pueden confundirse y donde las diversas posiciones tanto avanzan, chocan e intercambian sus lugares como se repliegan y capitulan en una refriega imprecisa que tiene más de escaramuza y de escarceo que de batallas gloriosas. (Es que siempre debe haber un grado de sutileza y manipulación en la estrategia de lo hegemónico, apoyada en argumentos míticos que, para facilitar su articulación, ayudan a disimular la existencia de intereses contrapuestos.) Por eso ciertos fenómenos conforman casos fronterizos y, por eso, la cultura popular es ambigua: es y no es contestataria, se opone y no se opone a lo hegemónico. En principio intenta conservar, elaborar y reproducir sus propias formas y resistir las dominantes, o apropiarse de ellas asumiéndolas; pero estos objetivos nunca son tan claros en los hechos y la cultura subordinada termina muchas veces cobijando señales opuestas, entregando terreno, claudicando y transigiendo. Por otra parte, la misma cultura dominante, al menor descuido, es permeada e invadida por símbolos subalternos y ve sus imágenes transgredidas y sus valores cambiados.

Otras complicaciones deben, además, ser consideradas. Aunque se admita que las relaciones entre la cultura hegemónica y la subalterna no consisten en oposiciones abstractas, sino en complejas interacciones históricas, planteadas de manera contingente, puede pensarse aún que cada una de las fracciones en pugna sea en sí misma una unidad compacta. Pero la cultura subalterna es un conjunto de realidades plurales, un cúmulo de culturas que actúan como fuerzas distintas según sus propias dinámicas: mientras algunas de ellas avanzan, otras pueden retirarse o ceder; mientras una resiste, bien puede otra contemporizar. Tampoco la cultura dominante configura un todo integrado y compacto. Algunas de las frecuentes confusiones que surgen al encararla derivan de una comprensión demasiado simplista de su naturaleza, que identifica entre sí sus distintas fracciones como si fueran conceptos perfectamente equivalentes.

Es que la cuestión de lo hegemónico es bastante enredada. Y lo es más aún para las sociedades capitalistas dependientes, en las que el Estado se organiza sobre fragmentos coloniales y no sobre distintos pueblos previamente constituidos como tales según historias propias. En realidad, prácticamente solo en Europa occidental el nuevo Estado burgués se construye sobre una sociedad civil previa, sobre una nación ya formada: se conquista la hegemonía antes que el poder. Pero en el Paraguay, como en América Latina en general, la historia es otra y se crea un desfase entre el Estado y la sociedad civil, entre el poder y la hegemonía y, por lo tanto, una diferencia entre cultura estatal y hegemónica (no todo lo hegemónico es estatal y viceversa). Además, en el Paraguay se produce una escisión entre cultura estatal y erudita, porque el núcleo de poder está constituido por un ejército autoritario y oscurantista. Por otra parte, la Iglesia también tiene una cultura oficial que entra a jugar un papel particular en la escena hegemónica. Y desde arriba, la cultura internacional supervisa, imparte normas y provee imágenes y justificaciones. Como parte de esta, la cultura de masas irrumpe con sus propias características y alcances.

De este modo, dentro del campo hegemónico dominante se puede distinguir entre, por lo menos, la cultura oficial estatal, la oficial eclesiástica, la erudita local, la erudita internacional y la de masas. Cada una de ellas será caracterizada sucintamente para que puedan ser mejor delimitados los perfiles de la cultura subalterna, en cuanto esta se define en parte por su posición respecto de aquellas. Y esta operación de recorte del ámbito de la cultura popular es necesaria tanto para ir avanzando hacia la comprensión de las formas estéticas surgidas en su interior, como para enriquecer el concepto de pueblo con los aspectos internos que cohesionan la comunidad y le permiten estructurarse de manera imaginaria.

La cultura oficial estatal

Algunos aspectos de la cultura oficial aseguran su función hegemónica enraizándose bien en la sociedad civil a través de su apoyo en diferentes tradiciones culturales que son asimiladas y mitificadas. Por un lado, la cultura oficial se nutre de la agraria (tradicionalismo, totalismo comunitario, fijismo), del nacionalismo (culto al héroe y a la tierra, epicismo, ideas de patria y pueblo), del liberalismo vernáculo (caudillismo, aspectos formales del republicanismo, idea de soberanía), de la cultura eclesial (fe como elemento del Estado católico usado como argumento de sumisión, identificación de ateísmo con subversión, dogmatismo), de la internacional (ideas de progreso, orden mundial, modernidad) y, naturalmente, del discurso militar (verticalismo, visión guerrera de la historia, antiintelectualismo, demonización del adversario: *bolí, kambá, kurepí, legionario, gringo,*[8] etcétera).

Estos diferentes contenidos –estructurados a través de un modelo autoritario y jerárquico, intolerante y personalista– son sostenidos en torno a un relato mítico ingenuo y poco imaginativo, pero bastante eficaz, cuyo argumento es más o menos el siguiente: impulsada por el Progreso, la Historia marca el desarrollo lineal de una gesta épica que se desenvuelve desde un punto fijo pasado, constituido por el mestizaje (indio noble + hidalgo español), hasta uno presente, pletórico de bienestar (escuelas + crecimiento económico + caminos + Itaipú). El actor, sano y bueno, moreno y fuerte, es el Pueblo, personificación de la Nación, cuyos intereses tutela un Estado monolítico y todopoderoso dirigido por un líder infalible y eterno, heredero directo de los próceres de la nacionalidad (la Tradición), en quien remata la Historia ("El Paraguay eterno con Stroessner"); el futuro está cancelado. Este espacio mítico está cerrado sobre sí, es inmutable y sereno, goza de estabilidad y armonía (idea de "La paz que vive la República")[9] y se construye sobre un suelo fértil y generoso (la Tierra). Pero afuera acecha el enemigo: el Comunismo (lo otro, la diferencia, el conflicto) que ha incubado gérmenes desestabilizadores y antipátridas en el tejido nacional y debe, por lo tanto, ser destruido.

La cultura estatal no coincide en su totalidad con la hegemónica, no solo porque existen ámbitos hegemónicos no estatales, sino porque muchos de sus elementos no gozan de legitimidad, no son aceptados y deben ser impuestos

8. Estos apelativos son empleados despectivamente para rebajar características propias del contrincante apelando a motes empleados contra el enemigo durante las guerras. En guaraní, *bolí* significa "boliviano" (surgido durante la guerra con Bolivia); *kambá*, "negro" (aplicado al invasor brasilero durante la Guerra de la Triple Alianza); *kurepí*, "piel de cerdo" (para nombrar al argentino, en alusión a las polainas de cuero porcino usadas por los soldados durante las batallas de Paraguarí y Tacuary).

9. Las expresiones "El Paraguay eterno con Stroessner" y "La paz que vive la República" se refieren a dos figuras fijas, empleadas a menudo por la propaganda oficialista del dictador Alfredo Stroessner. [N. de E.]

mediante la coerción.[10] Es el "consenso a palos" del que hablaba Gramsci. Por ejemplo, ciertas ideas como las de Patria, Anticomunismo, Líder Máximo de la Nacionalidad,[11] etcétera, no necesitan ser demasiado convincentes; se imponen sin más. Además, el florido discurso oficial choca en la práctica con la cultura de la corrupción, la realidad de la represión y el nuevo espectáculo de los desgarramientos internos del partido gobernante, por lo que sus idílicos argumentos pierden crédito como avales de consenso.

Afortunadamente, en el Paraguay el Estado tiene poca confianza en el arte como medio para promocionar sus mitos; a ese efecto más bien recurre a la enseñanza, la prensa oficial, la televisión y los diferentes rituales militares. Las pocas propuestas artísticas oficiales consisten en monumentos públicos mediocres que prosiguen sin ninguna imaginación el género declamatorio y acartonado de las alegorías decimonónicas mediante un *kitsch* mustio y aburrido.

La cultura erudita

La cultura ilustrada se nutre de la internacional; extrae sus argumentos hegemónicos de algunas tradiciones locales, como el liberalismo (la cultura como "instrucción") y el nacionalismo (exaltación de lo particular como nacional, tendencia al populismo), e internaliza y reproduce elementos de la cultura oficial (autoritarismo, personalismo). La cultura erudita es portada fundamentalmente por minorías productoras de cultura, grupos de intelectuales y artistas provenientes en general de sectores sociales medio altos, y se desarrolla desde la especialización, la acumulación de conocimientos y los mitos de la cultura superior en un sentido aristocrático y cerrado.

10. No todo lo dominante es hegemónico. La cultura dominante busca imponer sus valores legitimadores de subordinación; cuando actúa en correlación con otras fuerzas, apelando al consenso, es hegemónica, si no, es meramente dominante. Pero si no toda la cultura oficial es hegemónica, sí es dominante.

11. Dentro del discurso propagandístico oficial, ese título se empleaba continuamente para nombrar a Stroessner. [N. de E.]

Solo una porción pequeña de la cultura letrada coincide con la oficial: la relativa a algunos aspectos de la producción jurídica y la educación, sobre todo la universitaria (en cuyo ámbito coinciden la cultura estatal, la erudita y la eclesial). Por otra parte, no toda la cultura erudita es dominante; hay fuertes aspectos suyos que son impugnadores del statu quo. En realidad, en el Paraguay, la cultura erudita es la única que ha dado formas abiertamente contestatarias, así como, junto con la popular, es la que ha podido producir formas artísticas más vigorosas.

Dentro del campo hegemónico, el arte erudito, como la cultura erudita en general, mantiene espacios propios de disenso y resistencia ante la cultura estatal, así como ante los discursos del centro, en los cuales él mismo se fundamenta. En este punto reside la gran contradicción del arte erudito desarrollado bajo dictaduras militares latinoamericanas: configura un hecho exclusivista y minoritario surgido aparte de las grandes mayorías que no pueden acceder a sus códigos cerrados, a sus circuitos especializados ni a sus altos precios, pero crece al costado de las preocupaciones oficiales y sus proyectos culturales. Por eso es difícil hablar de "arte de elite" para referirse a una práctica mantenida a raya de cualquier instancia de poder.

Por una parte, aunque el arte erudito se desarrolla enganchado a la órbita de las culturas internacionales hegemónicas, la dependencia cultural no constituye más que uno de los condicionamientos que tiene la producción artística, superable siempre por su capacidad de seleccionar y reformular los mensajes emitidos por las metrópolis, así como de neutralizar ideológicamente sus contenidos según necesidades históricas propias. Cualquier "penetración cultural" puede ser reapropiada; no solo se impone, también se asume. La historia del arte producido en América Latina desde la Colonia es rica en ejemplos de discursos enteros que, adaptados a sensibilidades particulares, han sido desmontados y rearmados según las demandas de proyectos locales.

Por otra parte, es cierto que el arte erudito crece en un ámbito separado de las representaciones de los sectores populares y que su producción, distribución y consumo dependen de circuitos que están fuera del alcance de tales sectores y tienden a expresar y reforzar relaciones sociales de dominación. Pero también es cierto que, al no coincidir exactamente con los factores históricos que lo condicionan, el arte culto puede volverse un agente que impugne esos factores; su proclamada "autonomía relativa" encuentra aquí su gran ventaja: el desfase que existe entre el arte y sus condiciones deja cierto margen por el que pueden colarse posibilidades innovadoras y críticas. Y si bien por sí misma la práctica de lo artístico no habrá de protagonizar los grandes cambios en la realidad histórica que la condiciona, sí podrá vincularse con necesidades colectivas y provocar innovaciones y rupturas que ayuden a desmitificar las certezas oficiales, discutir los contornos de la sensibilidad colectiva y anticipar porvenires propicios.

Si la ideología oficial encubre los conflictos y presenta una visión homogénea, jerárquica e inalterable del mundo, las tendencias críticas del arte intentan delatar la existencia del conflicto, desbloquear el proceso que lo constituye y desnudar sus oposiciones; en pocas palabras: romper el hechizo paralizante del mito oficial y constituirse en un antídoto contra el orden natural y universal que proponen y justifican los discursos oficiales.

Con respecto al arte popular, las minorías cultas tienen actitudes distintas: o lo desprecian por considerarlo una práctica de segunda, sin verdadera dimensión poética ni efectivo ajuste formal, o lo tienen por un obstáculo residual del pasado, que debe ser superado, o bien adoptan una postura paternalista que decide desde afuera lo que supone que le conviene o no, o, por último, apoyan las reivindicaciones de espacios simbólicos populares y bregan por el reconocimiento de la especificidad cultural de los sectores subalternos.

La cultura oficial de la Iglesia

La acción de la Iglesia repercute en la sociedad civil en ámbitos que trascienden lo meramente confesional. Es que lo religioso, "pese a su relativa autonomía y especificidad, forma parte de una realidad social más amplia y se articula sobre el conjunto de las prácticas sociales" (Giménez, 1978: 38). Esa repercusión crea problemas cuando actúa como una proyección de doctrinas, ritos, normas y valores, desde el interior de la institución al conjunto de la sociedad (Arditi y otros, 1986: 14). Entonces se produce una cultura intolerante, autoritaria y dogmática que censura la diferencia y no admite opciones alternativas a sus verdades. Pero lejos de constituir una unidad compacta, la cultura eclesial contiene elementos que apuntalan la dominación (la Iglesia de la sumisión y el silencio, la fe como obediencia y resignación, el orden como jerarquía verticalista) tanto como aspectos que permiten impugnarla (teologías críticas y liberadoras, compromiso con las mayorías, denuncia de la corrupción); de hecho, desde ciertos ámbitos suyos han venido no pocas propuestas renovadoras y planteamientos democratizadores.

Casa ceremonial *pãĩ tavyterã*, llamada *oga jekutú*, "casa clavada". Su construcción corresponde al módulo tradicional de la cultura guaraní. Fotografía: Ticio Escobar, Jaguatĩ, 2011. Archivo: Departamento de Documentación e Investigaciones del Centro de Artes Visuales/Museo del Barro, Asunción.

Construcción de una *oga jekutú*. Fotografía: Ticio Escobar, Jaguatĩ, 2011. Archivo: Departamento de Documentación e Investigaciones del Centro de Artes Visuales/Museo del Barro, Asunción.

En la actualidad, no existe arte religioso oficial. Mientras lo hubo –el colonial jesuítico y franciscano– fue un arte impuesto, paternalista y totalmente dominante. Al servicio de la colonización europea, las misiones aplicaron un programa sistemático de destrucción de los fundamentos culturales originales, reemplazados por valores, discursos y figuras provenientes del cristianismo. Así, en principio, la intervención misionera se encontraba destinada a apuntalar la coerción de la Conquista; por eso no admitió ninguna forma de decisión participativa de las etnias; buscó imponerse sobre la anulación del otro. Pero ningún proyecto de dominación puede ser completamente cumplido porque sus fuerzas son relativas y porque los dominados cuentan con las propias, con las que resisten o, por lo menos, negocian.

Por otra parte, en cuanto la colonización cultural movilizaba imágenes y, por lo tanto, transcurría en gran parte en los espacios confusos de la representación, no podía operar mediante la pura coerción y necesitaba en parte convencer, seducir y ser admitida. Es decir, la evangelización debió apelar a mecanismos ideológicos persuasivos, aceptables en parte; debió reformular sus estrategias para abrir espacios mínimos de cruce intercultural que hicieran sustentable la misión: los franciscanos y jesuitas tuvieron que construir poder hegemónico. Lo hicieron no tanto a través del terror a las condenas infernales y los esplendores dorados de los templos, sino mediante una tentadora política de dádivas, alianzas y agasajos y la efectiva manipulación de ciertas instituciones básicas de la cultura guaraní (los liderazgos cacicales, la educación de los niños, la equiparación de los sacerdotes católicos a los chamanes indígenas, etcétera).

A veces las nuevas formas de la fe fueron impuestas o propuestas como sucedáneos de figuras, creencias locales o ritos demolidos. Otras veces, no fueron impuestas, sino asumidas por los propios indígenas, que no encontraban en sus acervos tradicionales los signos adecuados para enfrentar simbólicamente los traumáticos cambios que trajera la Conquista. Pero también se dieron casos de identificación de los indígenas con las formas impuestas y casos de resistencia cultural, mediante los cuales lograron ser conservadas ciertas formas de la sensibilidad guaraní y preservados puntos fuertes de identificación colectiva. Estos factores complejos provocaron desplazamientos en el proyecto misionero y, a contrapelo suyo, fundaron márgenes, breves, abiertos más allá del control riguroso de los maestros de taller. Apoyándose en esos espacios residuales los indígenas pudieron, en muchos casos, pasar de la copia mecánica a la transgresión y la reformulación de los modelos europeos. Muchas obras destinadas a constituir versiones degradadas del gran arte europeo pudieron acceder a su propia originalidad filtrándose por entre las grietas del sistema misionero, construyendo modelos alternativos. Estos desvíos del prototipo dominante conforman la base de gran parte del arte popular paraguayo: el desarrollado por sectores indígenas y mestizos sobre todo a partir del siglo XIX, luego de desmontado el sistema de las misiones.

Enmascarado ritual (*kambá ra'angá*). Festividad de San Baltazar. Fotografía: Fernando Allen, Compañía Rosado, Tobatí, 2008. Archivo del autor.

La cultura católica universitaria, más allá de los fines que proclama, se organiza, de hecho, mediante una estructura autoritaria e intolerante, dispuesta a coartar represivamente todo desarrollo sistemático de un pensamiento crítico y creativo. (La Universidad Católica ha cerrado en los últimos años la Facultad de Sociología por acusarla de subversiva, ha clausurado el Centro de Teatro y Artes Visuales, por miedo a los descontroles de la creación, y ha despedido a profesores tildándolos de "comunistas" o "inmorales" según las sanciones contempladas en el tenebroso Canon 810.)

En su relación con la cultura religiosa popular, la cultura oficial de la Iglesia actúa como polo hegemónico: "la religión popular –escribe Giménez– es también religión dominada que vive resistiendo a la religión oficial", y más adelante: "la religión popular se opone a la oficial como la cultura subalterna se opone a la cultura hegemónica" (Giménez, 1978: 241). A partir de allí tiene posiciones diferentes que varían "entre los polos extremos de la aculturación forzada y la tolerancia paternalista" (Giménez, 1978: 243). Desde su posición subalterna, la cultura religiosa popular actúa resistiendo las señales oficiales, rechazando o alterando elementos suyos o incorporando signos vinculados con sus ideas, valores y sentimientos; una vez seleccionados estos elementos se impone sobre ellos desplegando sus propias posibilidades retóricas.

El caso del *kurusú jeguá* es apenas un ejemplo de los tantos existentes en la religiosidad popular: aunque se basa en el culto eclesiástico de la cruz, escoge solo aquellos aspectos rituales que congenian con la sensibilidad comunitaria y, enseguida, desarrolla sus propias formas mezclándolas con otros signos religiosos (como el culto a los muertos, de origen guaraní). El resultado es un ritual que poco tiene del espíritu eclesiástico oficial: un exuberante montaje consistente en un cobertizo de ramas del que penden rosarios de maní y cientos de *chipa* (panes de maíz) de caprichosas formas, que alberga las cruces funerarias de parientes muertos; un complejo ritual de peregrinaciones, visitas comunitarias, cánticos, libaciones, juegos y oraciones que culminan con el convite de los panes. Resulta significativo que, aun cuando la Iglesia haya cambiado la fecha del día de la cruz para el 14 de setiembre, la celebración popular se siga realizando el 3 de mayo.

Lo mismo podría decirse de ciertas festividades, como la llamada de La Rúa,[12] que, en torno a la veneración tradicional al Santo Patrono, se desdobla en dos escenas paralelas: la una, ocupada por una representación escénica satírica, de fuerte contenido político y social; la otra, convertida en una animada pista de baile, expuesta a todos los excesos que provoca el cruce entre devoción, espectáculo y regocijo colectivo. Estas representaciones fueron vistas con

12. La Rúa, extendida a diversos rituales, se caracteriza por la presencia de los enmascarados llamados *kambá ra'angá* (literalmente, figura de negro), cuyo nombre designa tanto las máscaras utilizadas como a los personajes que las portan e, incluso, por extensión, las festividades mismas (Colombino, 1986).

desconfianza por la cultura oficial: el dictador José Gaspar Rodríguez de Francia reprimió su realización y la Iglesia las prohibió en ocasiones. Al respecto, es interesante un decreto de Monseñor Bogarín que apela a la alianza entre Iglesia y Estado en el seno de la cultura oficial:

> A mi regreso de la segunda visita pastoral, publiqué una pastoral-circular prohibiendo el juego de máscaras (alias *Cambaraangá*), acostumbrado desde tiempo inmemorial a ocasión de funciones religiosas de algún Santo, pero que degeneró en escándalo y corruptela. Conseguí que el Poder Civil apoyara esta disposición, como lo hizo, mandando circular a todos los Jefes Políticos en el sentido de hacer cumplir la prohibición de la Autoridad Eclesiástica (Bogarín, 1986: 37-38).

La cultura hegemónica internacional

Si la cultura hegemónica local presenta sus verdades como válidas para todo el cuerpo social, la de los grandes centros de poder internacional convierte las suyas en universales: sus signos son elevados a paradigmas planetarios. Con la ayuda de sus grandes mitos encubridores –instrumentos ideológicos por excelencia–, la cultura mundo uniforma las sensibilidades mediante la difusión *urbi et orbi* de ideas, costumbres y valores empaquetados. El arte hegemónico internacional propone e impone los códigos estilísticos, las innovaciones y las últimas tendencias; y las respuestas formales dadas a sus propias situaciones históricas pasan a constituirse en patrones de curso mundial. En el Paraguay, colonia de colonias, como dice Eduardo Galeano, la dependencia se encuentra redoblada por la mediación de las submetrópolis regionales: Buenos Aires y San Pablo. Es una subdependencia que distorsiona y destiñe las informaciones y posterga sus efectos, rebotes siempre tardíos de ecos superpuestos.

Ahora bien, las operaciones de la hegemonía internacional no pueden ser consideradas según un esquema simplificado y maniqueísta que las convierte en lances de un combate heroico y fatal. En primer lugar, ellas no constituyen puros agentes de dependencia y uniformización; también aportan propuestas innovadoras que ayudan a movilizar las propuestas críticas del arte: un fuerte remanente de contestación se alimenta de los centros urbanos internacionales. (No toda la cultura internacional es dominante.) En segundo lugar, las culturas locales no absorben con pasividad la dependencia; colocadas en posiciones subalternas y, consecuentemente, provistas de mecanismos de resistencia, pueden siempre enfrentarla, elegir mensajes que le convengan y reelaborarlos a partir de decisiones propias.

La cultura de masas, aunque corresponda a un momento de la cultura global hegemónica, es analizada aparte, puesto que constituye un caso particular dotado de dinámicas y caracteres específicos.

La cultura de masas

Impulsada por la industria cultural trasnacional, la cultura de masas traspone fronteras e invade apartadas regiones como una corriente tibia que avanza uniformando y endulzando, prometiendo mundos inaccesibles y sembrando sueños promiscuos. Realizada por las grandes corporaciones económicas y producida por los "ejecutores especializados", desciende hasta las mayorías y las distrae con sus mensajes transparentes y su belleza fácil, con modelos imposibles de ser remitidos a ninguna experiencia concreta ni convertidos en indicio de otras verdades. Los mecanismos massmediáticos son los hegemónicos por excelencia: persuaden, seducen y, mediante la revelación de secretos y la oferta de emociones rápidas, obtienen los consensos mayoritarios. Son conocidos sus efectos perniciosos: su programática renuncia a promover reflexiones y actitudes creativas, su formidable capacidad de banalizar todas las experiencias y de espectacularizar todos los acontecimientos. Pero estos nocivos atributos suyos no justifican que se considere a los *massmedia* poderosas fuerzas satánicas que habrán de corromper inevitablemente la cultura de los pueblos. Ni apocalípticos ni integrados

(Eco, 1981): los unos están convencidos de que la cultura de masas es la condena de la gran cultura y la perdición irremediable de sus valores; los otros, de que representa una opción decisiva para ampliar y democratizar el campo cultural, haciendo más digeribles sus signos y difundiendo sus conquistas. Ambos simplifican su proceso y se detienen en posturas fijas. Por eso, aunque resulta imprescindible analizar de manera crítica el tema de las industrias culturales, nada se adelanta con intentar impugnarlo en abstracto; inmersos, querámoslo o no, en un mundo regido por la lógica de la industrialización de la cultura, "la sociedad del espectáculo" y las comunicaciones de masas, no existe otra opción que asumir ese condicionamiento y desde allí imaginar posiciones nuevas.

Festividad de San Baltazar. Procesión de las imágenes de los Reyes Magos, santificados por la religiosidad popular al margen del santoral eclesiástico. Una mujer acompaña el conjunto de imágenes llevando en andas pequeñas representaciones de los santos reyes. Fotografía: Fernando Allen, Compañía 21 de Julio, Tobatí, 2008. Archivo del autor.

Los contactos de las comunicaciones de masas con la cultura popular son complejos; no está de más insistir, por una parte, en el hecho de que los sujetos populares no conforman una masa pasiva, fácilmente maleable y dispuesta a absorber cuanto se le propone. La cultura popular puede enriquecerse con los medios de masa si es capaz de seleccionar los mensajes que le interesan y tergiversar sus sentidos adaptándolos a los propios; doblegadas o desobedecidas, muchas señales de la cultura masiva se pasan al campo de la iconografía popular y se convierten en emisarios de mensajes nuevos. Por otra parte, no resulta pertinente comprender la cultura de masas como puro agente de devastación cultural: ella busca hacer negocios y debe para ello ganarse la adhesión de los grandes públicos. Intenta, así, coincidir con el gusto y la sensibilidad de amplios sectores populares, tomar imágenes suyas y copiar sus sueños. Por eso la cultura popular se reconoce continuamente en símbolos de la masiva y se apropia, a su vez, de ellos.

La cultura de masas no tiene propuesta artística alguna, al menos si manejamos el concepto de arte referido a una experiencia intensa que compromete la verdad y moviliza el sentido. En puridad, pues, no cabe hablar de *arte de masas*, sino de una estética masiva.

La cultura popular

Ubicada frente a la posición hegemónica, la cultura popular comprende las prácticas y discursos simbólicos de los sectores subalternos; sectores que, por la particularidad de sus memorias y sus proyectos, no terminan de reconocerse en las imágenes hegemónicas ni se identifican fundamentalmente a partir de ellas. Debido a su participación desventajosa en el producto social o su situación de marginalidad en el acceso al poder, a estos sectores no les conviene apoyar los aspectos dominantes de la cultura hegemónica (su etnocentrismo, su discriminación, etcétera) y desarrollan o mantienen formas culturales alternativas. Por motivos que veremos, la diferencia específica de lo popular tradicional, la especificidad de sus formas, se manifiesta más como conservación que como refutación. Pero a este nivel, la defensa de lo propio constituye no solo una expresión de resistencia, sino, a veces, una posición de réplica.

Grupo de mujeres durante el ritual *Kuñangue* realizado una semana después de la ceremonia iniciática masculina, *Kunumí Pepý*. Sobre el trasfondo conservador de la tradición guaraní, este rito femenino supone una brusca innovación cultural. Fotografía: Rocío Ortega, Jaguatĩ, 2011. Archivo de la autora.

Partiendo de una escala de "niveles de impugnación" propuesta por Lombardi Satriani (y refiriéndose concretamente a la cultura popular religiosa), Giménez dice que la sola "alteridad" semiológica, morfológica y sociológica de la cultura popular constituye ya de por sí una forma de impugnación implícita "por posición", en la medida en que ella niega de facto la pretensión universalista de la cultura dominante (Giménez, 1978: 242). Es decir que, dentro de un campo de fuerzas donde las posiciones hegemónicas intentan generalizar sus verdades legitimadoras, una postura diferente actúa de hecho como contrahegemónica, ya por el solo hecho de representar una verdad discordante o paralela.

La diferencia, su carácter alternativo, constituye un atributo característico de lo cultural popular. Pero esta propiedad suya no convierte la cultura subalterna en un continuo ni, mucho menos, en un conjunto homogéneo, sino que, más bien, la configura bajo la forma separada de bolsones de diferencia, lo que Duvignaud llamaría "nichos" de alteridad: microespacios, todavía desconectados entre sí, en los que se conservan o se gestan formas particulares; reductos desde los que se resisten, se rechazan o se aceptan las señales dominantes.

La situación de subordinación y la diferencia de sus formas constituyen, pues, elementos fundamentales para definir lo cultural popular. Ahora bien, en cuanto se incorpora el concepto de "diferencia" no puede desconocerse el punto de vista propio de la cultura considerada diferente. Sucede que la inclusión de este punto de vista impide que lo popular sea determinado solo por la posición objetiva que ocupan en la sociedad algunos sectores: exige la perspectiva propia de estos, la manera en que ellos se autocomprenden y se presentan. La definición de lo cultural popular debe asumir, por eso, el movimiento por el cual los sujetos sociales construyen sus particulares identidades. Es decir, para hablar de lo cultural popular, deben ser consideradas las condiciones externas que marcan la subordinación, así como la misma autoconciencia de identidad colectiva, el reconocimiento de pertenecer a un grupo, a una clase o comunidad y el sentirse parte de su experiencia y su destino. Para comprender mejor la complejidad del concepto "pueblo" –desde la perspectiva de las prácticas culturales– conviene, por tanto, encarar los sectores populares no solo a partir de una posición objetiva verificable, sino también desde la consideración de cómo sienten ellos su historia común y cómo se expresan a partir de ella: cómo experimentan, perciben y asumen su lugar social como base de identificación colectiva.[13]

13. El concepto de *habitus* o *ethos de clase* elaborado por Bourdieu puede resultar útil en este punto (Bourdieu, 1983: 9). El *habitus* supone la interpretación que hace un individuo o un sector de las estructuras sociales que lo condicionan. Los diferentes sectores populares asumen y reelaboran internamente su posición objetiva mediante sistemas de representación construidos de manera contingente.

Desde esta doble consideración resulta más fácil acercarse a lo popular como predicado de prácticas culturales: los títulos de pueblo, clase, etnia, etcétera, no se aplican solo a partir de criterios estadísticos o según ubicaciones asignadas en estructuras y casilleros socioeconómicos, sino también desde el reconocimiento que cada sector particular tiene de sí y que el resto de la colectividad en la que se inserta tiene de él. En última instancia, y desde el punto de vista de la identidad cultural, es campesino o indígena quien se reconoce y es reconocido como tal. Y, más específicamente, es un indígena nivaklé no solo quien tiene características étnicas y ocupa (o no ocupa) determinado lugar en el conjunto social correspondiente, sino quien se siente nivaklé, es considerado como tal y se identifica en el diagrama simbólico de una comunidad nivaklé.

Xilografía del periódico *Cabichuí*, editado en 1867 durante la Guerra de la Triple Alianza (1864-1870). Los tacos de madera eran tallados por soldados combatientes en pleno frente de batalla. La escena representa un enmascarado ritual, *kambá ra'angá*, que parodia a los enemigos aliados ante un público jocoso. El epígrafe está escrito en guaraní. Colección: Centro de Artes Visuales/Museo del Barro, Asunción.

La atención prestada en paralelo a la posición social objetiva del grupo y a sus propios criterios de identidad resulta útil sobre todo para tratar las particularidades sectoriales de la producción artística. Es que, en cuanto procesan historias, experiencias y saberes propios, estas producciones sirven como nudos fuertes de identificación. Por eso, para distinguir la práctica cultural de un sector determinado, debe considerarse, ciertamente, el lugar que ocupa en la estructura productiva o en sus afueras. Debe tenerse en cuenta la opresión política, la explotación económica, la marginación cultural, la discriminación social. Debe observarse el idioma (el guaraní, las diferentes lenguas indígenas) y la religión. Pero también debe considerarse cómo se asume el pasado común (la herencia indígena o, en el caso de los mestizos, la experiencia colonial), cómo viven estos sectores su diferencia, cómo se autodefinen ante los valores, imágenes y símbolos de estas, cómo viven la imposición de nuevas pautas e imaginan el destino de su particularidad cultural.

Recapitulando: considerado sectorialmente y desde el punto de vista de su producción artística, el concepto de pueblo designa tanto la posición objetiva de un grupo (posición de exclusión y/o de opresión) como el proceso mediante el cual él elabora en forma simbólica e imagina esa situación. Por eso, la referencia a lo colectivo se vuelve fundamental para caracterizar lo popular; y la solidaridad social, la cohesión de grupo y la "conciencia compartida" de una situación son factores tan definitorios de lo popular como el hecho mismo de la dominación. La cultura popular se refiere, así, al conjunto de prácticas de un grupo subalterno que se reconoce como comunidad particular y produce sus propios símbolos o hace suyos los ajenos de acuerdo con sus necesidades colectivas. Estos símbolos se vuelven específicos del grupo, son incorporados a la construcción de sus subjetividades y constituyen propuestas alternativas a las de la cultura dominante, nieguen, incorporen, resistan o asimilen elementos suyos.

Aunque este texto se refiera solo a las colectividades étnicas, mestizas y suburbanas tradicionales, pueden ser consideradas populares las producciones culturales de los diferentes grupos rurales, urbanos o suburbanos paralelos a la institucionalidad formal hegemónica; grupos que, conscientes de un carácter colectivo propio, son capaces de traducirlo en formas culturas alternativas (trabajadores, inmigrantes, comunidades barriales, organizaciones gremiales, movimientos sociales, minorías discriminadas por su diferencia sexual, racial o religiosa, etcétera). Y, por lo tanto, serán propias de un grupo no solo las formas culturales producidas por él, sino aquellas que, provenientes de otros sectores, devienen aptas para expresar aspectos de la identidad de ese grupo.

Capítulo 3

LA CUESTIÓN DE LO ARTÍSTICO POPULAR

Si, cada uno por su lado, los términos "arte" y "popular" son responsables de tantas ambigüedades, juntos suman equívocos y engendran confusiones nuevas.

Luego de discutir algunas interpretaciones, en este capítulo se propone un concepto operativo de arte popular que permita considerar ciertas expresiones del pueblo como formas artísticas diferentes y deje de lado exclusiones discriminatorias que consideran la cultura hegemónica como la única capaz de dar una versión poética de sí misma.

Lo popular como popularidad

En primer lugar, será discutida la interpretación según la cual es arte popular aquel que alcanza determinado nivel de difusión y que, por lo tanto, es aceptado por las mayorías. Ciertas canciones, películas y obras de literatura y teatro, así como ciertos personajes, son tenidos por populares en este sentido. Tal acepción de lo popular, vinculada con la utilización de los medios masivos y la figura de las industrias culturales, privilegia el momento de la divulgación en detrimento del de la producción o creación. Algunos autores europeos piensan que, si originariamente el término "arte popular" significaba "arte del pueblo y para el pueblo", hoy, convertido el pueblo en masa, significa o lo uno o lo otro: "o bien un arte del pueblo; es decir, cierto tipo de artesanado espontáneo, que se opone al arte auténtico, el de los artistas; o bien un arte para el pueblo, que se llama ya preferentemente arte de masas" (Dufrenne, 1982: 30). Gillo Dorfles halla que el auténtico "arte popular" de hoy sería "no el arte degenerado del *mid-cult*, sino el arte gráfico y el dibujo industrial, artes que son, quizás a la vez, del pueblo y para el pueblo" (Dufrenne, 1982: 31). Sin embargo, es evidente que la mera popularización de una obra no resulta índice de su carácter popular: las estadísticas de mayor consumo colocan "lo popular" del lado del público masivo que recibe la comunicación y no en los ámbitos del sujeto creador de aquellas producciones.

Se ha insistido por demás en la diferencia entre el arte de masas (producido industrialmente para un público pasivo) y el arte popular (producido por el pueblo para sí). Pero ya sostuvimos que esta oposición –en principio válida- no debería ser sustancializada: los sectores populares se apropian todo el tiempo de elementos de la cultura de masas y la misma distinción entre arte *del* pueblo y *para* el pueblo se vuelve borrosa cuando surgen nuevas condiciones históricas que separan a los creadores de sus obras y alteran la lógica del sistema a través del cual las comunidades crean y consumen sus propias producciones.

Por otra parte, la misma cultura de masas incauta imágenes, sonidos y discursos populares, cuyas asperezas pule y cuyos brillos oscuros apaga, para facilitar su consumo mediático. Así, muchas veces, ciertas comunidades tradicionales se enfrentan a una imagen caricaturizada de sí misma y consumen sus propios productos mediados por la comunicación masiva. Este hecho se vuelve cada vez más común en grupos rurales que asisten a la folclorización de su cultura a través de la radio y la televisión.

Lo popular como vanguardismo

A ciertas minorías cultas no les basta hablar en nombre del pueblo, también quieren crear en su nombre: consideran que los sectores populares no son solo incapaces de desarrollar sus propios proyectos históricos, sino ineptos para imaginarlos. Pero si aceptamos el supuesto de que lo cultural es propio de una comunidad que elabora su propia experiencia, entonces la única salida que tiene un grupo que no pertenece a un sector del pueblo y quiere hacer arte popular es usurpar experiencias ajenas. Esta salida es problemática: en el plano del arte –ya se sabe– toda imitación resulta fraudulenta. Aunque se basen en artificios, las operaciones del arte no admiten la falsedad: cada una de sus tantas ficciones no hace más que tratar de profundizar la experiencia de lo real a través del juego de lo imaginario; por eso su temor al *kitsch* no es consecuencia del miedo al mal gusto, sino a lo inauténtico: a lo que remeda su propia verdad.

Esta variante del populismo no tiene, en la práctica del arte, otra salida que tematizar la práctica popular y parasitar sus expresiones. Como no puede improvisar formas a expensas de una experiencia de la que carece, ni generar contenidos que corresponderían a una situación de la que no forma parte, entonces centra lo popular en el motivo a través de dos temas favoritos: el arte popular sería aquel que describe ciertos aspectos de la vida del pueblo, en general idealizados, o bien, aquel que representa temáticamente la liberación (o, por lo menos, las aspiraciones libertarias) como una manera de concienciar al pueblo, señalarle el "camino correcto" y estimular su efectiva emancipación. En puntos siguientes, volveremos sobre ambos.

Según Bartra, la "vanguardia popular" está constituida por artistas pertenecientes a una minoría erudita. Estos artistas, conscientes de los problemas sociales de los sectores mayoritarios y mejor posibilitados para acceder a la información por su propia condición de clase, se autoerigen en representantes de esos sectores.

> Basados en su –supuesta o auténtica– capacidad de comprensión de la realidad y de la expresión de esta a través del arte, se otorgan el privilegio de hablar en nombre de los otros, de la mayoría.

> Trátase de artistas que [...] no son del pueblo, pero [pretenden] saber lo que el pueblo piensa y conocer lo que el pueblo quiere, siente, desea o necesita (Bartra, 1983: 12).

Al menos en parte, el paternalismo vanguardista resulta de la conciencia culpable de cierta minoría por el papel que le asigna un pensamiento demasiado simplista: un prejuicio que identifica el arte erudito con el dominante y lo enfrenta al popular en una oposición antagónica. El arte ilustrado es, así, considerado un instrumento ideológico de la clase dominante para apuntalar la explotación de las clases populares. Tal como ocurre con la oposición absoluta entre arte de masas y popular, esta disyunción, considerada en forma abstracta e inapelable, empobrece y simplifica una cuestión ardua. Ya queda sostenido que, sobre todo en países latinoamericanos sujetos a dictaduras militares, no todo el arte erudito es dominante y muy poco de él es oficial; en estos casos, las minorías productoras de cultura, aunque provenientes en general de sectores sociales medios y medio altos, constituyen grupos en cierto sentido también marginados por el sistema, mirados con desconfianza por los detentadores del poder y, a veces, aun reprimidos por estos.[1] Excluidos del sistema político,

1. Es que la marginalidad es un término relativo; implica una posición referida a un lugar considerable desde diferentes ángulos. Por ejemplo, la cultura estatal ignora lo creativo de las culturas populares y tiende a aceptarlas solo como simpáticas artesanías, inofensivas manifestaciones folclóricas o exóticos *souvenirs*, desconectados de la historia y los proyectos oficiales; desde este punto de vista, la cultura popular es marginada. Pero si se considera lo marginal con respecto a la propia comunidad productora de cultura, la cuestión es diferente: las formaciones culturales étnicas, por ejemplo, son las más marginadas de la sociedad nacional en cuanto menor presencia tienen en su configuración, pero son las menos marginadas con respecto a la propia comunidad indígena, puesto que están profundamente integradas a todos sus procesos sociales, a los que animan y nutren. (Este concepto de marginalidad fue tomado de una discusión con Benno Glauser.) Referida la marginalidad a la cultura de la sociedad nacional, su ambivalencia se acentúa por las contradicciones de dicha sociedad; por eso el arte culto, aunque hegemónico, es a menudo ignorado y aun perseguido por las dictaduras militares latinoamericanas.

separados de toda participación formal en el "proceso nacional", determinados grupos de artistas e intelectuales se encuentran, de hecho, desarrollando proyectos culturales alternativos. En este punto, la marginación que sufre cierta cultura de minorías ilustradas hace que se cruce ella con la popular. Debe considerarse, además, la posición periférica que, al lado de la popular, ocupa la producción artística culta con respecto al arte de las metrópolis.

Por otra parte, según queda señalado, el arte erudito puede promover el desenmascaramiento del mito oficial; en este sentido, tiene un rol contestatario y se acerca al carácter "subversivo" que a menudo se le otorga.[2] El develamiento del mito, dice Barthes, es un acto político en cuanto ayuda a descubrir la alienación que formas presentadas inocentemente tratan de oscurecer (Barthes, 1981: 253). Pero es posible que este acto también recaiga sobre las propias circunstancias que condicionan la producción del arte erudito tanto como del popular. Apremiada por las formas, cualquier situación histórica puede delatar sus contradicciones o, al menos, indicar sus pistas. Esta operación autosacrificial exige extremar la propia experiencia hasta más allá del límite, forzarla a revelar verdades oscuras que la sostienen. Por eso nada se gana con pretender imaginar en nombre del pueblo: nadie puede soñar historias ajenas con la suficiente convicción como para poder cambiarlas.

Lo popular como acción emancipadora

La idea de que el arte popular se mueve mediante impulsos transformadores y contestatarios tiene dos versiones básicas: una sostiene que lo artístico popular corresponde a la expresión de las necesidades y aspiraciones

2. Durante la dictadura de Alfredo Stroessner (1984-1989), los artistas e intelectuales eran frecuentemente calificados de subversivos y desestabilizadores. [N. de E.]

libertarias del pueblo; la otra, que es en sí mismo un factor de impugnación. Ambas se alimentan de uno de los clásicos mitos de la modernidad: aquel que encomienda al arte una misión redentora y mesiánica a ser llevada a cabo por las vanguardias.

El compromiso

En América Latina es bastante común la postura que entiende que, como el arte popular debe expresar los intereses del pueblo, y como esos intereses coinciden objetivamente con el final de la opresión, entonces será popular solo el arte que anticipe la emancipación: en rigor, solo el arte de protesta, el arte "comprometido", sería popular. Esta posición tiene argumentos discutibles. En primer lugar, los intereses colectivos conforman una compleja trama de contenidos sociales que incluyen tanto expectativas, necesidades y aspiraciones, como recuerdos, nostalgias y tradiciones; tanto conservan la identidad colectiva y expresan una autoimagen ligada al pasado como incorporan nuevos elementos que dinamizan esa imagen y rectifican su derrotero. Además, la propia imagen dominada actúa como vehículo de dominación; solo hasta cierto punto se opone a las formas ajenas o las reinterpreta según intereses propios y en gran medida tiende a la reproducción del sistema dominante.

En segundo lugar, el arte no busca desnudar sus motivos e intenciones ni explicar los contenidos deseados como un modo más o menos mágico de acceder a ellos. La expresión de intereses liberadores no significa su declaración literal; ellos no tienen en el arte la claridad del proyecto, sino la ambigüedad del deseo; son confusos y contradictorios y remiten siempre a objetos equívocos. Los móviles del arte son furtivos y difícilmente asibles: se zafan ocultándose de forma en forma y se muestran –siempre solo a medias– a través de maniobras lingüísticas y escamoteos retóricos. Por eso el conflicto revelado o su esperada resolución no se presentan a cuerpo gentil ni admiten mansamente la traducción de las formas: son sugerencias de sí mismos, ausencias que remiten a su objeto a través del rodeo de figuras y ficciones. En este sentido, dice Dufrenne que "el arte es el heraldo de un mensaje imposible" (1982: 297) y Lyotard, que la obra de arte "es siempre testigo de su incumplimiento" (1982: 205). Este autor señala la diferencia entre el síntoma, como expresión directa del deseo ligada a formas unívocas, y el arte, en el que el deseo mantiene su disponibilidad y se vincula con formas dinámicas y complejas, difíciles de descifrar: la función del arte no es "ofrecer un simulacro real de la realización del deseo", sino "dejar abierto el campo de las palabras, líneas, colores y valores para que la verdad se 'represente' allí" (Lyotard, 1982: 201 y 205).

Por lo tanto, el arte no puede colmar el vacío, sino habilitarlo como lugar de representaciones, como escena abierta al juego extraño de las figuras. Y no puede provocar el cambio ni aplacar su anhelo a través de su satisfacción imaginaria, sino predisponerse para que la presión del deseo pueda desencadenar fuerzas creadoras (volviendo al revés la ausencia para que se convierta en espacio activo de expresiones). Es que la obra de arte no promueve el cambio social mediante la denuncia de las contradicciones de la realidad de la que parte ni los anuncios de su superación, sino proponiendo nuevas maneras de percibirla y revelando, así, aspectos suyos que la hagan vulnerable del cambio que habrá de ser propiciado desde otras escenas. Por eso un poema, una imagen o una canción de protesta, por más expresivos de los intereses del pueblo que sean considerados, no rebasarán su función declamatoria y panfletaria si no son capaces de expresar esos intereses desde sus propias organizaciones significantes (y desde la propia experiencia del pueblo, pero eso constituye otro problema, ya señalado).[3]

3. Esta postura no implica el desconocimiento de las posibilidades políticas inmediatas que, en ciertos momentos de movilización, pueden tener las manifestaciones "de protesta".

Ambivalencias

El supuesto de que el arte popular, en cuanto producto subalterno, es expresión de "los de abajo" y se encuentra, como tal, en una situación en parte enfrentada a la cultura hegemónica, no conduce necesariamente a la conclusión de que sus formas actúan siempre en dirección contrahegemónica. En primer lugar, las relaciones sociales no capitalistas –sostén de las principales formas del arte popular– signan su producción con rasgos específicos que otorgan a las innovaciones un sentido diferente. En las comunidades indígenas originarias –las anteriores al conflicto de la dominación colonial–, el arte cumple funciones aglutinantes: propone una imagen del conjunto social, asegura su cohesión y avala su reproducción. En ese momento no cabe hablar de arte popular porque no existe una cultura alternativa a una dominante y porque en el seno de la comunidad los conflictos no se manifiestan en formas culturales opresoras y oprimidas, sino que se expresan y se asumen de manera imaginaria en los rituales y los mitos colectivos. El núcleo del arte indígena –la ceremonia y la fiesta, la danza y la representación– coincide con el discurso mítico en ese punto oscuro y fecundo en torno al cual se procesa la memoria y se traman las imágenes del conjunto social.

Las ceremonias rituales indígenas son dramáticas: elaboran el conflicto y reestablecen la unidad imaginaria, regulan el devenir e incorporan el cambio. Cuando la colonización arrasa el culto religioso imponiendo sus propios relatos encubridores, los mitos originarios parecen desaparecer,[4] pero sobreviven espectralmente, readapta-

4. "El siglo XVI –escribe Lauer– apaga los grandes dioses y los relega a una semiclandestinidad, en la que la magia debe abandonar el ámbito político y refugiarse, apenas disfrazada, en el más estrecho terreno comunitario y en las profundidades de lo doméstico. La represión ideológica impone límites a la configuración de las representaciones, y estas son las anteriores vivencias colectivas de lo divino [...] polo ordenador de una visión del mundo que incluía elementos científicos y tecnológicos. Apagar el sol en la religiosidad [...]

dos, mimetizados en la cultura mestiza, camuflados en las nuevas formas de religiosidad popular o codo a codo con los símbolos adversarios. Por eso la impugnación –al igual que sucede en la cultura erudita, en última instancia– supone tanto ruptura como conservación; a veces se resiste remplazando los viejos mitos; otras, conservándolos. Además, en situaciones etnocidas, la autoafirmación cultural tiene de por sí un sentido de resistencia política. El fortalecimiento de la conciencia comunitaria y, consecuentemente, la valorización de los símbolos propios puede contrarrestar uno de los mecanismos más eficientes de la dominación cultural: el desprecio de lo alternativo, el fomento de una autopercepción negativa; el mito, en fin, de que solo el arte occidental es arte. Por eso, valorizar las producciones artísticas de los grupos indígenas deviene una manera de luchar por el reconocimiento de los derechos de la diferencia y de un ámbito propio desde el cual ejercerlos.

Esos derechos tienden a ser argumentados solo mediante la denuncia de la explotación y el marginamiento que sufre el indígena, de su situación humillada y su condición humana trasgredida. Pero, sin desconocer esos menoscabos, por encima de una visión catastrofista suya conviene promover la fuerte capacidad creativa de los indígenas. Ellos no son solo seres despojados y miserables: son creadores que, porfiadamente, mantienen alerta su potencial poético, a pesar del hostigamiento constante, a pesar de la persecución y la reducción irreversible de sus espacios. Y esto no es poco hoy, cuando las sociedades saciadas de Occidente titubean, desconcertadas, ante los síntomas de una sensibilidad entumecida por racionalismos burocratizados y omnipotentes tecnocracias.

---

significó también destejer una parte importante de la urdimbre social, no directamente religiosa, de aquella formación. Dentro de este movimiento, la representación ve castrada su capacidad de constituir conocimiento articulado; es decir, capaz de reproducir la antigua sociedad" (Lauer, 1982: 128).

Dibujo a tinta de Ogwa, ishir ebytoso. La imagen representa a dos oficiantes prestos a entrar en la escena ceremonial; uno de ellos prepara un gran mazo plumario, *kadjuwerta*, que condensa las energías del ritual. Asunción, 1993. Colección: Centro de Artes Visuales/Museo del Barro.

Pero retomemos el tema de las posibilidades críticas de los sectores tradicionales. Cuando se quiebra desde afuera la unidad mítica de la cultura, lo que hoy llamamos arte popular nace marcado por una ambigüedad fundamental: por un lado, resulta dominado y excluido; por otro, carece de mecanismos retóricos para refutar las condiciones históricas de la dominación: sus formas están diseñadas para apuntalar la historia, no para impugnarla. Las formas del arte indígena crecen nombrando el núcleo de sentido que organizaba aquel universo hoy hecho jirones; las del arte campesino tienden a expresar armónica y serena, alegremente por momentos, sus creencias y expectativas en torno a su diario enfrentar la naturaleza en pos de una historia entrecortada. Pero como los sectores que producen esas formas ven amenazadas sus posiciones por el avance de las fuerzas dominantes, procuran defender sus territorios simbólicos mediante una actitud de resistencia básica ante la homogeneización que procuran esas fuerzas. Hay otra ambigüedad en ese movimiento confuso de conservación/resistencia y de cambio/enriquecimiento: según sirva o no a la comunidad, la tradición puede ser retardataria o impugnadora y la asimilación, alienante o dinamizadora.[5] En este sentido De Souza Chaui caracteriza la cultura popular como esencialmente ambigua, y la define como mezcla de conformismo y resistencia, de atraso y de deseo de emancipación (De Souza Chaui, 1986). Giménez, por su parte, describe bien esa ambigüedad cuando habla de cultura religiosa rural:

> Por una parte es el último baluarte ofensivo de la identidad campesina frente a la agresión de la sociedad capitalista envolvente, pero, por otra parte, perpetúa el inmovilismo y el atraso. Es fuente y estímulo principal de la vida festiva y de la expresión estética del pueblo, pero también la flor marchita de una cultura de la pobreza y de la opresión. Es una fiesta que danza en torno a una utopía de abundancia y de liberación en lo imaginario, pero a la vez un formidable obstáculo para la comprensión crítica de la condición propia. Es una fuerza de impugnación hacia fuera, pero a la vez una fuerza de conformismo y de resignación hacia adentro (Giménez, 1978: 248).

Desde el momento en que no existen fronteras estables que separen la cultura subalterna de las formas hegemónicas, ni parapetos muy firmes que la protejan de sus embates, tales formas, más fuertes siempre, la acosan e invaden constantemente. Los valores y paradigmas centrales hacen frecuentes incursiones en el campo popular, se infiltran y ocupan distintos emplazamientos; a veces son repelidos o hechos cautivos, pero muchas otras, sus poderosas imágenes, inoculadas en la comunidad subalterna, engendran frutos espurios, verdades degradadas. Es ya demasiado co-

5. Najenson habla de dos actitudes de la cultura subordinada ante la hegemónica: contestación –cuando impugna aspectos de esta– o consenso –cuando los incorpora asimilando, transformando o aceptándolos resignadamente– (Najenson, 1979: 51). En todo caso, lo importante no es que la comunidad acepte, rechace, cambie o conserve, sino que lo haga de acuerdo con los requerimientos de su propio desarrollo y para contestar condicionantes históricos concretos.

nocido el hecho de que los mecanismos hegemónicos inculcan en las culturas subordinadas formas que encubren la figura de la sujeción y sabotean una autocomprensión sistemática de los dominados en cuantos tales: ni el arte indígena traduce en conjunto la marginación y el despojo, ni el campesino, la explotación y la miseria.

De ahí el carácter bivalente de la cultura popular, lastrada por pesadas convenciones tradicionales y embarcada a medias en proyectos ajenos. Muchas veces sus formas puede resistir impidiendo la entrada de las impuestas o capturándolas para convertirlas a la causa propia (por ejemplo, el caso del Barroco hispano guaraní: a veces los indígenas podían torcer los signos oficiales para obligarlos a expresar historias suyas). Pero para que esto ocurra deben existir, además de reservas formales fuertes y bien entrenadas, sentimientos y valores, experiencias y verdades que las sostengan; no solo los aspectos significantes, sino los propios contenidos ideológicos deben ser neutralizados o desviados para que las formas puedan actuar con libertad y desencadenar otros contenidos.

Por último, no puede expresarse en formas artísticas lo que no existe en las prácticas sociales concretas; es imposible sacar formas de lo imaginario sin ningún apoyo en lo real. Por eso el arte popular paraguayo está aún limitado para expresar experiencias combativas que los movimientos populares no tienen o tienen olvidadas. Las dictaduras son expertas no solo en reprimir cualquier movimiento social reivindicatorio, sino en borrar la memoria histórica y trabar la constitución de procesos. En el Paraguay, las sucesivas y puntuales represiones bloquean la posibilidad de que se vayan sedimentando experiencias: los movimientos deben recomenzar sus luchas una y otra vez, como si fuera cada una de ellas la primera. Los grupos campesinos no han podido constituir un suelo estable para manifestaciones creativas; los sindicales tienen poca historia; renacen estos –después de una tradición cortada– recién en 1978: no tienen mucho que narrar. Y las formas artísticas son exigentes en el material que procesan: requieren prácticas legitimadas, vivencias intensas, verdades probadas. Por eso las organizaciones sociales emergidas últimamente en Asunción (movilizaciones de estudiantes, de funcionarios del Hospital de Clínicas y del Movimiento Intersindical de Trabajadores, por ejemplo) no tienen aún la consistencia ni la tradición necesarias para generar formas expresivas propias y repiten con poca originalidad consignas panfletarias e imágenes prestadas, poco fieles a la utopía de "imaginación al poder" heredada por sus antecesores del 69, que dejaron muchos recuerdos y algunos mitos, pero ninguna forma permanente.

Lo popular como tema

La postura que será considerada ahora, presupuesta en casi todas las anteriores, entiende que el arte popular es aquel que tematiza ciertos aspectos, a menudo idealizados, de la práctica del pueblo. Es decir, hace del motivo el portador de lo popular y, al hacerlo, reitera el repertorio de un arte definido desde la pura referencia: escenas de luchas obreras o campesinas, cuando no de bucólicos paisajes; altivos rostros indígenas o emotivas imágenes de la producción de las masas trabajadoras, sus fiestas y su quehacer cotidiano.

En este punto valen tanto las críticas derivadas de un enfoque socioantropólogico (discusión de posiciones indigenistas, populistas, etcétera) como las basadas en la propia teoría del arte: el esfuerzo de representar la vida del pueblo (esfuerzo que naufraga, por lo general, en cualquiera de las corrientes localistas y costumbristas que han infestado el arte latinoamericano en diferentes momentos) no busca construir formas que enfrenten, desde su propia organización significante, la "realidad" del indio o el mestizo asumiendo la perspectiva de sus culturas, sino que se limita a describirla de manera literal desde miradas ajenas. Y está claro que nunca será el tema lo que defina lo específico de una cultura; el motivo, lo inmediatamente denotado, es apenas un punto de partida para elaborar complejos significantes que puedan hacerse cargo de los muchos contenidos que no deja ver la mera referencia. El arte da cuenta de la realidad, pero lo hace a partir de las formas que la enfrentan, la expresan o la niegan y no desde la presentación de aspectos inmediatos suyos. Pero el *tematismo* mira estos aspectos desde afuera; los considera unívocamente y apunta a sentidos invariables, a verdades prefijadas. En esa misma dirección transitan otros partidarios del motivo: los *latinoamericanismos* tratan temas telúricos empleando cánones decimonónicos, y el paisajismo localista se detiene con fervor en el rancho o el rostro campesino con la mirada extraña de la academia, convirtiéndose en lo que Févre llama un "academicismo proletario", una pintura transaccional, que utiliza una temática autóctona bajo formas europeas" (Févre, 1974: 52).

Si en el orden internacional el realismo socialista constituye el ejemplo mejor de este *contenidismo* popular, en América Latina está representado por la mayor parte del muralismo, los indigenismos de las primeras décadas, la obra de Guayasamín y sus (lamentablemente) muchos seguidores, ciertos pecados nativistas de los más pintados maestros (como Berni o Portinari) y la amplia gama de costumbrismos que pululan en todo el mapa latinoamericano y que en el Paraguay tienen sus mejores exponentes en Holden Jara, Da Ponte, Alborno y Laterza Parodi (solo en sus esculturas de temas indígenas).

Mis personajes. Óleo de Ignacio Núñez Soler, Asunción, 1956. Colección: Centro de Artes Visuales/Museo del Barro. Fotografía: Departamento de Documentación e Investigaciones del mencionado Centro.

En este punto habría que particularizar la situación de algunos artistas que, a partir de diferentes aproximaciones a la práctica popular o, aun desde cierta participación en esta, adquieren una especial comprensión de ella y pueden expresarla con naturalidad y solvencia, aunque lo hagan a través de los circuitos del arte culto y utilizando medios que, en el Paraguay al menos, no están al alcance de la práctica popular.[6] Por un lado, se encuentra el caso de pintores como Genaro Morales y grabadores como Jacinto Rivero, Andrés Cañete y Miguela Vera, a cuyas obras no parece adecuado calificar de *populares*: sus contenidos temáticos manifiestan una precisa interpretación de ciertas rutinas y prácticas de los sectores rurales –por la cercanía que ellos mantienen con esas vivencias–, pero se generan fuera del ámbito de las comunidades campesinas y no se inscriben en su historia. Son creadores más cercanos a los artistas naifs que a los populares. Por otro, se encuentra la obra de Ignacio Núñez Soler: un caso tan especial que plantea problemas de ubicación y descubre, una vez más, la permeabilidad de los conceptos, clasificaciones y límites referidos al ámbito de lo popular. Parece, en efecto, casi una injusticia negar el carácter de "popular" a la obra de este pintor, que, formado dentro del movimiento obrero, adopta su perspectiva política y propone una imagen sólidamente conectada con la representación suburbana, ba-

6. En el Paraguay no existe tradición popular de pintura ni de grabado. La pintura fue realizada en el seno de los talleres jesuíticos para ornamento de altares, retablos y nichos, pero, a diferencia de la escultura, tuvo muy poca difusión fuera del ámbito misionero y nunca llegó a alcanzar un carácter expresivo de la categoría de las tallas en madera. La pintura popular alcanzó algunos resultados notables en la decoración de iglesias y puertas de nichos, pero nunca llegó a constituir un género autónomo. En cuanto al grabado popular, solo puede hablarse del aislado caso de la imagen gráfica de *Cabichuí* –periódico combativo editado durante la Guerra de la Triple Alianza (1864-1870)–, que tampoco tuvo continuidad. El grabado misionero, desarrollado en el libro *De la diferencia entre lo temporal y lo eterno* (Nieremberg, 1640), en ningún caso puede ser considerado como popular; determinado absolutamente por la imagen europea, no constituye más que una copia desprovista de toda originalidad.

rrial, sindical y campesina, de la que se nutre con pasión; este artista fue desconocido e ignorado durante décadas por los sectores eruditos y oficiales. Quizá habría que ver en su trabajo el ejemplo de lo que podría ser una imagen de la cultura popular si ella tuviera las posibilidades de acceder a canales y medios técnicos reservados a la hegemónica.

Un concepto de arte popular

A partir de lo desarrollado hasta ahora, en este trabajo se define el *arte popular* como el conjunto de formas estéticas producidas por sectores subalternos para apuntalar diversas funciones sociales, vivificar procesos históricos plurales (socioeconómicos, religiosos, políticos), afirmar y expresar las identidades sociales y renovar el sentido colectivo. Así, resulta válido hablar de arte popular en cuanto es posible reconocer dimensiones estéticas y contenidos expresivos en ciertas manifestaciones de la cultura popular. Lejos de ocurrir desgajados de su realidad social, estos contenidos y aquellas dimensiones forman parte activa de su dinamismo y aun de su constitución. Y en cuanto significan, al menos en parte, una manera alternativa de la comunidad de verse a sí misma y comprender el mundo, las diversas manifestaciones del arte popular implican además un factor de autofirmación y una posibilidad política de réplica.

Recapitulando: en este trabajo se define lo *popular* atendiendo el lugar subordinado que ocupan determinados sectores; la *cultura popular,* considerando la elaboración simbólica de esa situación y el *arte popular* como un cuerpo de imágenes y formas empleadas por esa cultura para replantear sus verdades. El arte no ocupa más que un rincón reducido y agudo dentro de los terrenos amplios de lo cultural: un puesto de límite, una zona crispada e intensa que desestabiliza las certezas instituidas por la cultura para discutir los límites de la sensibilidad colectiva e intensificar la experiencia social.

Lo expuesto en el párrafo anterior tiene dos consecuencias. Por una parte, permite discutir una definición del arte popular sustentado en propiedades sustantivas: rasgos intrínsecos provenientes de su origen (tradicional, campesino), de sus técnicas (procesos manuales de producción, rusticidad) o cualidades formales prefijadas que lo definirían esencialmente y le serían propias ("ingenuismo", uso del color y la profundidad, grado de abstracción). Lo que caracteriza el arte popular es la capacidad de un grupo diferente de procesar en forma estética su propio tiempo y de reconocerse en esa operación. Deviene inútil, pues, pretender determinar en abstracto *el* estilo del arte popular. Existen, de hecho, diversos rasgos expresivos compartidos, afinidades formales que identifican comunidades, grupos, periodos y aun autores, pero esos trazos no pueden ser erigidos en pautas normativas según las cuales se pueda dictaminar que una pieza sea o no popular.

Por otra parte, el concepto de arte recién propuesto (como punto extremo de condensación dentro de la cultura) supone que no todo lo cultural es artístico y, aun, que no todas las culturas populares generan formas artísticas. El arte es exigente en condiciones propicias; para convocar su manifestación, la colectividad requiere cohesión social, memorias densas y proyectos firmes; pero, además, precisa terrenos bien abonados y reclama climas sutiles; atmósferas especiales, requisitos desconocidos. Pueden aventurarse conjeturas acerca de por qué una comunidad destila ciertas formas en un momento determinado, mientras otra permanece seca y silenciosa, pero es imposible explicar la esquiva aparición de esas formas, movida por mecanismos oscuros y ocurrida tras confusas razones: la caprichosa presentación de lo poético siempre burlará las previsiones y expectativas de los conceptos.

Talla en madera, policromada. Imagen de Judas Iscariote, santificado por la religiosidad popular bajo el nombre de Judas el Carioca. La pieza, realizada por Cándido Rodríguez en 1999, manifiesta la depurada síntesis formal de la escultura popular, opuesta al dinamismo de las imágenes barrocas, de las cuales deriva. Fotografía: Susana Salerno y Julio Salvatierra. Archivo: Departamento de Documentación e Investigaciones, Centro de Artes Visuales/ Museo del Barro, Asunción.

En el Paraguay actual el arte popular es privilegio de pocas colectividades: por ahora solo las etnias y ciertas comunidades rurales de la Región Oriental lo producen. Es de esperar que, en la medida en que otros sectores vayan intensificando sus experiencias, reimaginándolas y reinscribiéndolas como distintivos sociales, puedan remover las trabas que bloquean el acceso a la producción de formas poéticas y abrir un ámbito desde el cual ganarlas. De hecho, a partir de la tarea de recuperación de su historia y de reconstitución de su identidad de clase, los trabajadores están intentando ensayar algunas posibilidades expresivas (como algunos tímidos festivales de música y poesía, por ejemplo), pero aún no logran acoplarse a tradición alguna ni generar formas propias. Y ciertos grafitis urbanos, inmediatamente censurados, anuncian en sus imágenes furtivas, efímeras, una posibilidad expresiva por ahora reprimida. Mientras tanto, el arte popular que existe es el conectado con la tradición indígena y mestiza colonial; ese pasado ha constituido un suelo suficientemente fecundo y firme como para sostener historias, sedimentar experiencias y germinar símbolos.

Tanto el sistema represivo, que impide la constitución de procesos políticos alternativos, como la lógica de la cultura hegemónica, que estorba la emergencia de expresiones no funcionales para su desarrollo, son en parte responsables del silencio de los otros sectores. Pero además hay factores internos que obstaculizan la formación de un cuerpo de representaciones sociales: si no hay cohesión social, no hay creación colectiva. En el caso de los campesinos o de los indígenas, la concentración en territorios algo apartados –unida a fuertes vínculos comunitarios tradicionales– facilita la integración sociocultural, permite cierta autonomía étnica y allana el funcionamiento de subsistemas particulares. Esas condiciones promueven la conciencia de un "nosotros" particular, base de una visión del mundo desfasada con respecto a la dominante.

Por el resquicio que abre ese desacople se cuelan posibilidades propias de representación que actúan a contramano del sistema hegemónico o se desvían de su derrotero. Pero, por más que esos pequeños márgenes de maniobra sean tolerados como algo inevitable por tal sistema, este procura siempre neutralizar en lo posible la actuación de símbolos disfuncionales para su reproducción en un forcejeo conflictivo que intenta al máximo ganar el control sobre estos. Siempre en relación con el caso de Paraguay, la índole de ese control también determina que la cultura campesina e indígena tenga mayores posibilidades de producir discursos artísticos: estos son más digeribles por un sistema autoritario (que procura manipularlos volviéndolos inofensivos y pintorescos); funcionan de hecho más como un subsistema que como un contrasistema.[7] Un arte proletario sería más competitivo: en la medida en que pudiera constituirse en un cuerpo de respuestas propias a situaciones en sí conflictivas, tendría una dirección más contestataria. Además, el hecho de que los obreros no construyan ellos mismos sus objetos de uso (como los campesinos o indígenas lo hacen), reduce el repertorio de soportes inmediatamente disponibles y desvía las posibilidades creativas hacia otros campos menos potables para el sistema; es que los objetos encajan mejor en el casillero dominante que aquellas expresiones que, basadas en la actuación y la dramatización, representan puntos nodales de la cultura propia: las fiestas y ceremonias compiten con los ritos religiosos, sociales, políticos y escolares que sostiene y reproduce la cultura hegemónica y son menos controlables por esta (aunque también se intente folclorizar festividades y rituales populares: danzas para turistas, espectáculos autóctonos para restaurantes típicos, etcétera).

Por eso, desde el comienzo de las reducciones, los misioneros habían hecho lo posible (que era bastante) para extirpar las manifestaciones expresivas basadas en las ceremonias paganas, mientras que hacían la vista gorda ante aquellas artesanías consideradas domésticas y, en cuanto tales, inofensivas.[8] Las festividades populares siempre son

7. Recuérdese que el texto fue escrito durante el gobierno militar de Alfredo Stroessner, por lo que las referencias al "autoritarismo" y al "sistema" aluden elípticamente a la brutal dictadura que duró hasta 1989. Durante ese tiempo oscuro resultaba difícil diferenciar lo hegemónico de lo represivo y, aun, lo hegemónico de lo dominante. [N. de E.]

8. Los objetos muy involucrados en el uso ritual eran arrancados en lo posible de contexto. El caso de la cerámica guaraní es ilustrativo: las grandes tinajas (*japepó*), realizadas siempre por mujeres, eran utilizadas originariamente como urnas funerarias y vasijas para la chicha ceremonial y el ritual antropofágico. En los talleres misioneros, desligada de su tradición social primera (la producción pasa a estar a cargo de varones), de sus técnicas (in-

miradas con desconfianza por la cultura oficial eclesiástica: esa misma aprensión las caracteriza como populares. Las celebraciones religiosas de las comunidades rurales y suburbanas son toleradas con discreción, pero siempre tenidas al margen y tratadas con recelo. Cuando no son censurados, los rituales indígenas siguen siendo considerados heréticos, salvo para los misioneros más progresistas.

En lo relativo a la producción de objetos expresivos, hasta hoy las misiones religiosas tienden a apoyar solo los aspectos lucrativos de su práctica. Casos extremos de evangelización etnocida, como la practicada con violencia por la siniestra secta *To New Tribes,* no solo prohíben coercitivamente la celebración de cualquier ritual que tenga algún tufillo "idolátrico" ("satánico", dicen estos misioneros), sino que fomentan la producción de artesanías solo en cuanto han sido desconectadas de sus funciones simbólicas: desinfectados y asépticos, reducidos de tamaño y vaciados de expresión, los característicos cubrenucas plumarios ayoreo, antiguos signos de esplendor tribal, son hoy traídos en grandes cantidades por esos misioneros norteamericanos para ser vendidos a los indígenas mak'a, quienes –reducidos en una misión religiosa coreana en los alrededores de Asunción– los utilizan en un hollywoodense simulacro ceremonial montado para viajeros amantes de lo exótico.

---

troducción de torno, uso de vidriado), de sus formas (sustitución por pautas estilísticas europeas) y de sus funciones (nuevos usos para el culto católico), la cerámica se vacía de los complejos significados tribales y ve anuladas sus posibilidades expresivas.

Capítulo 4

CUESTIONES SOBRE ARTE POPULAR

La cuestión del cambio

La idea de que lo popular, sobre todo lo indígena, debe permanecer idéntico a sí mismo, detenido en un punto anterior a su propia historia, se ubica en el centro de uno de los mitos más característicos de la cultura occidental. Petrificado en su versión más pintoresca, el arte popular queda convertido en ejemplar sobreviviente de un mundo arcaico, el milagroso eslabón con pasados nostálgicos y remotos lugares.

Esencias, mudanzas

El mito de la inmovilidad del arte popular funciona como argumento favorito de románticos, pero también como alegato de ideologías nacionalistas que necesitan fundamentar que el "ser nacional" es un pedestal incólume. Es fácil detectar las maniobras que permite este escamoteo de la historia; el arte culto tiene derecho al cambio, se nutre de innovaciones y fuentes varias, debe estar al día, crecer y proyectarse hacia un futuro siempre mejor, mientras que el popular está condenado a mantenerse originario y puro: si se transforma, se pervierte; si incorpora novedades, adultera sus verdaderos valores y traiciona su autenticidad fundante. De Souza Chaui dice que para el populismo nacionalista “el pasado preservado por la cultura popular es el futuro garantizado por la cultura instruida” (De Souza Chaui, 1986: 120).

Pero si, desconociendo ese mito, se asume que la cultura constituye un proceso vivo de respuestas simbólicas a sus propias circunstancias, entonces cabe admitir que sus formas deben cambiar ante los requerimientos siempre diferentes de situaciones nuevas. Ese es el punto que no reconoce el mito, cuyos dispositivos paralizantes detienen aquel proceso y aíslan sus términos como si fueran sustancias exteriores entre sí (como si no fueran momentos de una tensión contingente y discursiva, sino extremos de una disyunción fatal). Por eso oponen la *tradición* y el *futuro* o lo *universal* y lo *particular* en un movimiento bifurcado que debe decidir entre uno y otro polo de una alternativa absoluta. Consideradas así, las construcciones de la historia quedan convertidas en monolitos sin fisuras y sin sombras (como el “ser nacional” o el “ser latinoamericano”). Este diagrama paralizante asigna posiciones fijas: al arte popular le corresponde el pasado; al culto, el futuro. El uno debe dar cuenta de las raíces y ser depositario del alma indígena o mestiza, y custodio de la identidad nacional; el otro debe estar frenéticamente lanzado hacia un vago destino de modernidad en una carrera lineal y continua iniciada en los legendarios tiempos precoloniales. “Lo indígena –escribe Lauer– es el punto de partida inmóvil desde donde se mide la modernidad” (Lauer, 1982: 111).

En ese mismo registro inmovilizante se ubica la falsa alternativa entre lo particular y lo universal, una disyunción que enfrenta de manera antagónica el arte propio (auténtico y original) y las formas (alienadas) provenientes de culturas extranjeras. Esta dicotomía encubre la tendencia paternalista y etnocéntrica a privar a la cultura popular de todo contacto con técnicas y formas contemporáneas. Trasladado a la teoría del arte latinoamericano, este esquema binario ha sido fuente de innumerables e innecesarios reduccionismos y simplificaciones. El joven arte de América Latina se ha debatido turbado y lleno de culpas ante dramáticas encrucijadas, dudando entre optar por la fidelidad a lo propio o el acceso a la contemporaneidad; entre el atraso o el remedo mimético. Pero sus mejores intentos han comprendido que la alternativa del enclaustramiento frente a la alienación es falsa y que el autorrepliegue es tan negativo como la adopción refleja de las formas impuestas: que, aislándose, el arte no enfrentará la dependencia y que su única posibilidad es salirle al paso e intentar reformular y transgredir sus condiciones.

Por eso, el problema no consiste en si se puede o no cambiar ni en qué conviene conservar y qué renovar, sino en si se tiene o no el control del cambio. Y, por eso, es cuestionable que, desde una posición paternalista, ajena al grupo, se pontifique acerca de qué es lo que debe o puede cambiarse. La creatividad popular es suficientemente capaz de asimilar los nuevos desafíos y crear respuestas y soluciones en la medida de su propio ritmo y sus necesidades históricas. Según las coyunturas concretas, el arte popular puede conservar elementos inveterados o incorporar otros nuevos: cualquiera de esos movimientos será legítimo en la medida en que responda a una dinámica autogestionada. Así, cualquier innovación y apropiación de elementos extraños, como todo uso de imágenes o técnicas gestadas donde fuere, serán válidos en la medida en que correspondan a una iniciativa de la comunidad, mientras que la más mínima imposición de pautas ajenas bastará para perturbar un proceso cultural, distorsionar sus formas y empañar su sentido. Visto desde afuera, el cuerpo cultural tiene una exagerada fragilidad: una presión pequeña es suficiente para lesionarlo; considerado desde adentro, es vigoroso y resistente: puede incorporar grandes pesos y soportar bruscas sacudidas sin comprometer su integridad ni arriesgar su sentido.

En consecuencia, las culturas subordinadas pueden tanto resistir el acoso de formas ajenas como integrarlas a su propio proceso, aunque esa adaptación suponga un esfuerzo extremo. A partir del impacto colonial, los indígenas han dado incesantes pruebas de esa casi ilimitada capacidad de digestión que tiene una cultura cuando, acorralada por necesidades de supervivencia o acomodo a nuevas condiciones, se vuelve protagonista y asume la dirección del cambio.

Si es la propia comunidad la que selecciona los elementos a ser mantenidos, incorporados o suplantados, por más chocante que parezca, el conflicto intercultural será resuelto con naturalidad y dejará formas bien acabadas. En general, las etnias conservan incólume una reserva formal básica ligada a sus núcleos simbólicos: tienden a no alterar aquellas expresiones comprometidas con sus funciones socioculturales más profundas,[1] pero cambian con bastante libertad las pautas relacionadas con usos domésticos, lúdicos, comerciales, así como relativos a festividades intertribales.

Retrato de hombre kaiová (*pãĩ tavyterã*) con labrete, *tembetá*, y corona plumaria. Extraña a la tradición guaraní, esta pieza proviene de contactos interétnicos mantenidos con pueblos matogrossenses y amazónicos. Este reacomodo estratégico es recientemente asumido por ciertos grupos guaraníes en ocasiones de demandas políticas planteadas a la sociedad nacional. Fotografía: Jorge Candia, Jaguatĩ, 2011. Archivo del autor.

1. Entre los guaraní, esas expresiones comprenden la ornamentación plumaria, la cestería y la cerámica ceremonial; entre los grupos chaqueños, las pinturas corporales, el tatuaje y los tejidos de fibras vegetales; en todos los casos, las ceremonias principales.

Cuando los chiriguano guaraní emigraron al Chaco a partir del siglo XV, conservaron las técnicas, formas y modelos decorativos de las grandes vasijas utilizadas para el ritual, pero adoptaron rápidamente las ricas formas y motivos de la cerámica de grupos subandinos y, luego, de la iconografía mestiza colonial; a partir de allí, desarrollaron sistemas de decoración de indiscutible fuerza propia, elaborados sobre la base de los más dispares y complejos ingredientes estilísticos.

A fines del siglo XVIII, los caduveo mbayá (estudiados por Lévi-Strauss en *Tristes trópicos*) asaltaron la misión jesuítica de Belén; quedaron entonces tan impresionados por la ornamentación del ropaje litúrgico, los bordados, los tejidos y las ilustraciones de misales que decidieron incorporar esas imágenes a su propia pintura corporal y a su cerámica, a cuyos rígidos patrones se sumaron, así, insólitas volutas barrocas. Algo parecido sucedió con los payaguá, quienes, establecidos en los alrededores de Asunción en las postrimerías de los tiempos coloniales, no tuvieron empacho en decorar profusamente sus mates, para venderlos mejor, con dinámicos diseños fitomorfos de filiación europea, ni en grabar sus pipas chamánicas con motivos bíblicos, tal vez, en este caso, para potenciar el poder de los chamanes con la poderosa imagen del conquistador cristiano.

Es que todo fenómeno cultural es, en esencia, híbrido. La ilusión de pureza cultural forma parte de un mito romántico de resonancias fascistas, que encubre el hecho de que toda asimilación es nutritiva y de que el cambio, fundamental para asegurar el flujo de las formas culturales, constituye un desafío para la imaginación y un antídoto contra la repetición refleja.[2] El propio fenómeno del mestizaje cultural, reconocido y glorificado como origen mixto

2. Gran cantidad de elementos considerados "típicos" de ciertas culturas corresponde a adopciones repentinas y, en muchos casos, relativamente recientes: los adornos de abalorios –característicos de ciertas etnias chaqueñas– son confeccionados con cuentas de vidrio de Murano o de Venecia introducidas por los misioneros; la cerámica y los tejidos de lana, tan representativos de la cultura nivaklé, así como la típica cestería ishir, provienen de tardía influencia colonial e interétnica; la talla en madera –convertida en un medio

de la más genuina "paraguayidad", recuerda siempre la inevitable promiscuidad de los procesos culturales y el carácter cambiante y complejo de sus signos.[3] Pero aquí el dispositivo mítico de la cultura hegemónica hace un escamoteo: acepta que el indígena haya incorporado pautas ajenas en algún punto nebuloso de su historia y ve con buenos ojos que las "artesanías folclóricas" deriven por igual de aquella doble raíz que sostiene nuestro pasado criollo (al fin y al cabo ese carácter híbrido de la cultura sirve bien para ilustrar una historia edulcorada surgida del idílico encuentro entre indígenas y conquistadores y para justificar numerosos dualismos que alimentan el discurso oficial); pero considera que esas mezclas son pura historia y que la historia es siempre hecho pasado: hoy la cultura popular ya está hecha y es así, si cambia se adultera, etcétera.

Retrato de Julia Isídrez en su taller. Tanto ella como su madre, Juana Marta Rodas, innovaron de manera radical el proceso de la cerámica de origen colonial mediante obras, básicamente modernas, provistas de gran seguridad expresiva y formal. Fotografía: Fernando Allen, Itá, 2011. Archivo del autor.

---

expresivo certero y seguro– deriva de las reducciones civiles o misioneras y carece de cualquier antecedente en la práctica indígena precolonial.

3. Si bien reelaboradas por la sensibilidad guaraní, algunas de las más representativas manifestaciones del arte criollo derivan directamente de Europa, tales como el *ñandutí* –procedente del encaje de Tenerife–, la imaginería religiosa, el cuero repujado, la orfebrería y la ebanistería. Otras expresiones heredadas de culturas indígenas sufrieron importantes transformaciones estéticas y funcionales a partir de la influencia colonial.

Lo notable es que ese mito tiene mayor influencia de la que pudiera suponerse; no pocos antropólogos, historiadores, periodistas y operadores culturales sostienen más o menos explícitamente la opinión de que el valor de lo popular radica en la tradición y es impermeable al cambio. Este pensamiento se fundamenta en gran parte en los estragos que causa la aculturación de origen urbano industrial en las formas populares: la invasión de imágenes de la cultura de masas, la pérdida de técnicas y formas propias de gran potencia expresiva, la proliferación de figuras impostoras requeridas por un nuevo mercado turístico, etcétera. Pero antes que refugiarse en los últimos bosques para evitar la contaminación, vale más asumir el impacto intercultural como un desafío a ser encarado desde los propios expedientes significantes y de cara a proyectos autodeterminados.

Seis guardianes del ritual chiriguano, *Areté Guasú*. Esta festividad readapta continuamente la iconografía de sus atavíos ceremoniales, basados en diferentes tradiciones culturales de origen colonial. Fotografía: Fernando Allen, Santa Teresita, Chaco paraguayo, 2011. Archivo del autor.

Muchos cambios producidos hoy en ese ámbito resultan esperanzadores en cuanto demuestran la aptitud de la cultura popular para sortear escollos y enfrentar desafíos apelando a toda su imaginación y sus recursos y sacando fuerzas de sus recuerdos. La cultura popular resuelve a diario los conflictos derivados del enfrentamiento entre la tradición y los nuevos usos. La cerámica, por ejemplo, integra con naturalidad motivos de la imaginería ciudadana sin renunciar a su rica herencia estilística; ciertas piezas realizadas hoy en Tobatí se basan en los botijos antropomorfos de antigua tradición, pero incorporan temas audaces y soluciones de dudoso carácter autóctono: son representaciones de mujeres obesas enfundadas en diminutos bikinis o alegres minifaldas. La seguridad formal, las certeras soluciones espaciales y la fuerte energía que manifiestan permiten que estas figuras recién surgidas alcancen la misma validez expresiva y estética que cualquiera de las mejores obras de un mundo rural cerrado a las influencias urbanas.[4]

Los casos

Aun los rituales –en principio, más conservadores– renuevan sus rígidas pautas. No es difícil ver hoy tradicionales montajes populares (los complejos armazones del culto a las cruces funerarias o los tradicionales pesebres) parpadeantes de luces de neón y decorados con flores artificiales, fotografías y adornos de plástico, así como tampoco

4. También en otras situaciones han surgido nuevas formas cargadas de un temperamento propio: cierta cerámica aparecida en las últimas décadas en Areguá (figuras hechas con torno o moldes y pintadas con esmalte industrial) logra significar aspectos nuevos de la cultura suburbana y acceder a otra originalidad (Salerno, 1983: 20). Últimamente han surgido manifestaciones populares que utilizan materiales de desecho industrial (como los candelabros y faroles hechos de hojalata), temas de la cultura de masas y elementos prefabricados. Pero en todos estos casos la eficacia expresiva no ha sido sacrificada: las novedades han sido absorbidas y recreadas por la colectividad.

es extraño asistir a festividades patronales que incorporan atrevidas dramatizaciones de sucesos nacionales e internacionales; tal el caso de la antigua fiesta patronal de San Pedro y San Pablo, celebrada en Altos: paralelamente al arcaico ritual del fuego y a la representación del rapto de las mujeres, los celebrantes, cubiertos con máscaras y vestidos con susurrantes atavíos de hojarasca, representan en forma paródica sucesos de rigurosa actualidad, como elecciones de reinas de belleza, votaciones y disputas políticas, desfiles de modelos y burlas a personajes internacionales.

Para poder sobrevivir a la intolerancia de los misioneros, la tradicional fiesta agrícola de los chiriguano guaraní llamada Areté Guasú ("el gran tiempo verdadero") se ha acoplado al carnaval criollo, pero, aun así, doblemente disfrazada, mantiene sus funciones de cohesión social y rito propiciatorio a través de una ceremonia que se atiborra de signos ajenos sin perder su originalidad y su poesía. Las máscaras utilizadas en esa fiesta guaraní son de origen arawak, los altos capirotes proceden de influencias coloniales, las vestimentas presentan vestigios andinos sobre los atuendos mestizos, los adornos utilizados proceden de la cultura criolla, andina, militar, nivaklé, lengua, católica, quizá menonita. Hay disfrazados que completan su atuendo de pieles de jaguar, plumas de garza y tejidos de caraguatá con guantes de motociclistas, pelucas sintéticas, anteojos oscuros. Hay máscaras de madera de palo borracho que, ornamentadas con alas de gavilán, llevan, a modo de *collage*, la fotografía de un rostro recortado de una revista. Hay máscaras hechas de piel de onza, de pecarí o de venado al lado de otras confeccionadas con cartón y plástico; representaciones de antepasados y de fieras al lado de imágenes de Batman y de E. T. Pero la fiesta mantiene su rotunda coherencia lograda por encima de su heterogeneidad y su desorden: conforma un rito vigente y sano, capaz de integrar las imágenes forasteras y crecer con ellas.

A veces, ciertas pautas consideradas inmutables son transgredidas de golpe por el afán de novedad, la curiosidad, la imaginación y el gusto personal de individuos que, al restablecer los significados alterados en un orden nuevo, dinamizan el curso sociocultural. En una ceremonia de iniciación ishir realizada recientemente (año 1986) en San Carlos, Alto Paraguay, uno de los chamanes, impresionado por el color turquesa de una caja de plástico en la que habíamos llevado medicamentos, la cortó en tiras largas y delgadas que pasó a trenzar con paciencia y armó luego con ellas una espléndida diadema que enriqueció su propio tocado de plumas. En casos como este la sustitución de formas se basa en el característico mecanismo retórico de cualquier discurso estético: a partir de asociaciones formales o semánticas, los significantes se deslizan e intercambian entre sí sus puestos y, mediante este juego, alteran códigos inveterados y nombran realidades nuevas.

Escena de danza maká. Este grupo, reasentado en una zona periférica de Asunción, ha reacomodado sus pautas estéticas conservando el esquema básico de muchos de sus ritos. Fotografía: Ticio Escobar, Mariano Roque Alonso, 2008. Archivo: Departamento de Documentación e Investigaciones del Centro de Artes Visuales/Museo del Barro, Asunción.

Como signo de la victoria del cacique valiente sobre su peligroso enemigo, los jefes guerreros ayoreo utilizan un gorro cónico de piel de jaguar llamado *ayoi*. Durante la década de 1960, un grupo de estos indígenas, hasta entonces silvícola y ajeno a cualquier contacto, comenzó a verse cada vez más acosado por la codicia de los terratenientes y el fanatismo de los misioneros. En su mayoría, los ayoreo fueron arrebatados de sus territorios por la expansión colonizadora, y muchos de ellos perdieron la libertad, y hasta la vida, recluidos en verdaderos campos de concentración evangélicos (como los de la misión *New Tribes*), diezmados por enfermedades desconocidas y perseguidos por una civilización impuesta como una condena. En una oportunidad, hacia mediados de 1965, en la zona de Cerro León, sintiéndose invadido en su terreno y amenazado en su vida, un cacique guerrero, después de dar muerte a un empresario de una compañía petrolífera, confeccionó con su casco un nuevo *ayoi*; la piel de la empresa profanadora de sus tierras sustituía en este caso a la del jaguar, tradicional adversario de los ayoreo.[5]

Si un sector popular tiene asegurado un ámbito de creación y autogestión cultural, podrá resistir los embates de la aculturación y conservar o renovar su repertorio iconográfico según las exigencias de sus proyectos propios. Por eso la solución no consiste en aislar las comunidades amenazadas por el conflicto intercultural (cualquier forma de *apartheid* será discriminatoria), sino en promover el fortalecimiento de sus instancias de autodeterminación. Mientras que la cultura de algunas comunidades indíge-

5. A partir de la década de 1950, ciertas compañías petroleras comenzaron a hacer perforaciones de prueba en Cerro León (Chaco paraguayo). Las incursiones en tierra de los ayoreo produjeron violentos enfrentamientos que culminaron con la muerte de algunos paraguayos y varios indígenas. El caso del *ayoi* nos fue proporcionado por Luke Holland, de Survival International, quien, después de varios años de sucedido el incidente, compró la pieza por un precio irrisorio en la misión *New Tribes* (donde se encontraban ya reducidos los indígenas) y la donó al Museo Etnográfico Andrés Barbero, de Asunción.

nas fue borrada de manera fulminante (como la de los recién citados ayoreo, quienes en menos de cuatro décadas perdieron brutalmente su universo ritual a manos de los misioneros), otras, culturalmente integradas, pueden mantenerse cohesionadas y, por lo tanto, conservar su capacidad de resistencia aun en medio de las circunstancias más adversas.

En general, los grupos más resistentes a la deculturación son aquellos que han desarrollado una larga y obstinada tradición de defensa de sus zonas preservadas: sobre todo los guaraní, que vienen enfrentando la colonización y negociando con ella desde hace varios siglos, y los grupos campesinos, herederos de una difícil experiencia de pérdidas, apropiaciones y reajustes culturales. Impresiona ver hoy en pleno radio urbano de Asunción a los *estacioneros* o *pasioneros*, quienes, vestidos con sus trajes de recuerdos coloniales y portando candelas, faroles y estandartes, arrastran sus cánticos plañideros en ciertos rituales, por lo general de carácter luctuoso. Y resulta asombroso constatar la terca y desafiante presencia de los enmascarados ceremoniales (los *kambá ra' angá*) en las barbas mismas de la modernidad y el progreso. San Bernardino, ubicada sobre el Lago Ypacaraí, a 40 kilómetros de la capital, es una villa balnearia donde toma vacaciones la alta burguesía de Asunción; su lujoso Hotel Casino acata solemnemente los cánones metropolitanos a través de espacios asépticos de historia y la esmerada atención de personal experto en los códigos del trato cosmopolita. Pero en ciertas noches de junio, algunos camareros y crupieres del hotel dejan los esmóquines, las mesas verdes y ciertas amables frases en inglés, se hunden en la cercana Compañía Yvyhanguý, de donde proceden, y allí cubren sus rostros con máscaras pintadas de negro brillante para representar el oscuro y vital rito centenario.

La cuestión del destino del arte popular

Exterminio y redención

Una vez reconocidos el derecho y la necesidad que tiene el arte popular de cambiar, ¿hacia dónde se orienta ese cambio? ¿Qué futuro extraño le espera al arte popular? ¿Qué posibilidades tiene de responder a condiciones socioeconómicas diferentes a las que lo generaron? El arte popular, al menos como se da hoy en el Paraguay, se origina en formas rurales de autosubsistencia y trueque, sistemas culturales en los que los valores de uso predominan sobre los de cambio. Sin embargo, cada vez más, las comunidades tienden a producir sus objetos artísticos para venderlos y no para consumirlos ellas mismas.

El proceso de penetración del capital en el campo,[6] así como el de urbanización creciente[7] y el gradual incremento de pautas industriales de consumo, condicionan el progresivo abandono de las formas tradicionales. Las migraciones, la creación de una nueva infraestructura de comunicaciones (expansión de rutas y carreteras y surgimiento de empresas

6. Este proceso de mercantilización de la economía natural se produce en gran medida a partir de, por un lado, la reforma agraria y, por otro, la imposición a nivel de hegemonía del capital financiero. Este fenómeno tiene gran auge durante la Segunda Guerra Mundial y se constituye desde entonces en un sostenido e ininterrumpido avance del capital sobre el campo. A partir de allí el campesino comienza a ser productor de una mercancía universal, de un mercado de exportación (algodón, soja, tabaco, etcétera), y ser parte importante de la producción de toda la colectividad económica del país: no produce ya para su comunidad, sino para Asunción, para las multinacionales, para el resto del mundo.

7. Recién desde fines de la década de 1960 comienza un efectivo proceso de urbanización en el Paraguay. "Otro factor en la configuración de la cultura paraguaya es la inexistencia de un proceso urbano dinámico", señala Morínigo. "El Paraguay hasta la década del 70 fue un país rural. Si bien existía una primacía indiscutible de Asunción, la economía rural campesina y el peso poblacional impedían una acción influyente de la cultura urbana sobre la cultura campesina. Al contrario, Asunción, como ciudad de migrantes campesinos, sin un proceso de industrialización capaz de absorber las corrientes migratorias, se conformó, en parte, bajo el influjo de una cultura rural" (Morínigo, 1986: 53).

de transporte que aceleran la integración de la comunidad), así como la difusión de los medios masivos de comunicación y la expansión de pautas culturales modernas en amplias zonas rurales, promueven la emergencia de nuevos hábitos, gustos y valores y el gradual abandono de muchos usos y funciones tradicionales.

Ajaká, cesto mbyá, adornado con los característicos motivos iconográficos de esa cultura. Tanto la tipología formal de estos cestos como los citados motivos, de origen protoamazónico, se reiteran desde hace por lo menos tres mil años; sin embargo, la pieza incorpora las señales de su tiempo: nótese que esta se encuentra datada en ambos lados de su armazón. Colección: Museo de Arte Indígena del Centro de Artes Visuales/Museo del Barro. Fotografía: Susana Salerno y Julio Salvatierra, Asunción, 2006. Archivo: Departamento de Documentación e Investigaciones del citado centro.

A partir de ese momento comienza a resquebrajarse el ámbito del arte popular. En cuanto este implica un conjunto de prácticas producidas y consumidas por los mismos sectores (un arte de y para el pueblo), entonces la alteración del circuito económico (producción/circulación/consumo) resulta en una separación del pueblo de su propia obra y en la ruptura de aquella unidad forma/función característica del arte popular. Si, por ejemplo, asistimos hoy a la festividad popular de San Blas-í ("El pequeño San Blas") realizada el último domingo de febrero en el distrito Caaguazú de Itá, nos encontraremos con la procesión del santo patrono, los bailes y las chanzas de los enmascarados, la tradicional escolta de docenas de jinetes, las banderas, los cántaros ornamentados con flores dispuestos a lo largo del camino para saciar la sed de los peregrinantes, la música melancólica o festiva de la banda Peteke-Peteke, los adornos de papel de seda, de arbustos y de rosas. Pero lo que se vende en la feria, en la plaza frente a la capilla, no son las cerámicas de Itá, no son las tinajas, botijos, vasos y juguetes de barro que han vuelto famoso el pueblo desde la época colonial, sino baldes y palanganas de plástico; objetos varios de loza argentina, coreana o brasilera, juguetes y adornos industriales. Salvo los rojos cántaros para el agua, que aún tienen una amplia difusión en zonas rurales (y hasta hace muy pocas décadas, incluso en Asunción), la cerámica de Itá adquiere más presencia en casas comerciales de la capital que en hogares campesinos. Lo mismo está sucediendo con el encaje de ñandutí, la orfebrería, la imaginería y otras expresiones.

Aparentemente, pues, la condena inexorable de las formas tradicionales coloca el arte popular en un callejón sin salida: o desaparece o reniega de sí, convirtiéndose en pintoresco detalle del arte culto o exótico apéndice de la cultura de masas. Sin tomar en cuenta las posiciones que consideran el arte popular como una rémora que debe ser removida, ante la situación señalada se plantean propuestas diversas que pueden ser resumidas en tres:

1. El archivo

La primera propuesta fomenta la conservación, preservación y rescate de las piezas aún sobrevivientes del derrumbe general de las culturas de subsistencia. Si una forma de vida, y, por consiguiente, de expresión, se extingue de forma irremediable, por lo menos habría que recolectar y registrar los restos del naufragio, protegerlos y salvarlos como muestras para la posteridad. Publicaciones, museos, grabaciones, fotografías y filmes se convierten en refugio de la memoria amenazada, en depósito de símbolos dispersos, de retazos de sueños.

Por supuesto que el rescate de las formas últimas es importante en cuanto promueve la valoración de las culturas populares, su derecho a lo alternativo y un mejor conocimiento de sus valores. Muchas veces esa tarea es expresión del respeto de la diversidad cultural. Pero los operativos de rescate no bastan. Aislado de una comprensión más compleja de los procesos culturales, el puro preservacionismo fetichiza aquellas formas últimas, las convierte en signos embalsamados, sin contexto y sin sentido: apostar solo al rescate supone una actitud fatalista, una resignada política de archivo.

2. La técnica original

La segunda posición, también alistada en una operación de salvamento, propone preservar no ya los objetos mismos, sino técnicas y temas en vías de extinción considerados definitorios del arte popular. En un intento de retroceder la historia hasta encontrar un momento elegido como paradigma de lo genuino, ciertos promotores culturales intentan salvar la "autenticidad" del arte popular propugnando la manutención (la respiración artificial) de procedimientos y motivos tradicionales que se están extinguiendo, o su resurrección, si ya han expirado. Desde motivaciones esteticistas o intereses comerciales se induce a comunidades indígenas a utilizar tintes vegetales ya abandonados (la pieza se vuelve más apetitosa cuanto más asegurado esté el abandono), los colores naturales, los procedimientos ancestrales, los motivos antiguos. Así, no importa que la comunidad sienta o no esos colores, ni interesa saber si esas técnicas le permiten expresarse mejor, ni si esos motivos corresponden a contenidos culturales vigentes; lo fundamental es que las obras aparezcan como más auténticas y más naturales y correspondan en lo posible a una idea arquetípica que desde afuera define lo que debe ser la imagen popular (rústica, arcaica, terrígena y con algún toque salvaje).[8]

Todo apoyo brindado a una comunidad para la preservación de sus técnicas tradicionales resulta útil a condición de que esa comunidad las considere vigentes. A veces, a partir de la discriminación etnocéntrica, así como de la imposibilidad de obtener productos tradicionales o la imposición coercitiva de pautas ajenas, una comunidad pierde el acceso a técnicas o imágenes que aún se encuentran en uso. En estos casos, se vuelve necesario ayudar a los sectores populares a recuperar el dominio de sus medios expresivos removiendo los obstáculos que los separan de ellos. (Este movimiento es diferente al intento de inducir a un grupo a que se remede a sí mismo empleando técnicas caducas y fingiendo las sensibilidades que las convocaban en otro tiempo.)

Otras veces se quiere salvar los procedimientos o temas "típicos" acoplándolos a prácticas ajenas; es el caso de los temas indígenas o rurales aplicados al diseño industrial, o el del costumbrismo nativista que estereotipa experiencias

8. Baudrillard analiza la autenticidad buscada desde el sistema dominante en ciertos objetos ("singulares, barrocos, folclóricos, exóticos, antiguos") que cumplen una función muy específica en el marco de ese sistema: significan el tiempo, pero no el tiempo real, sino sus signos o indicios, lo que se recupera en ellos. La lógica del sistema, aunque con dificultad, intenta controlarlos, ya que "natura y tiempo, todo se consuma en los signos". Por eso, por auténticos que sean esos objetos, siempre tienen algo de falso. (Baudrillard, 1985: 83-96).

por las que no han pasado o se apropia de símbolos que no comprende. El remedo tiene en el arte efectos desastrosos; cuando se quiere representar desde un lugar ajeno escenas de la vida campesina, se cae en un realismo torpe que termina traicionando siempre lo representado y reduciéndolo a caricatura de sí. Cuando se intenta, por ejemplo, imitar lo que se supone son los signos de la cultura guaraní (paradigma de lo indígena paraguayo), los resultados son iguales a los de cualquier imagen estándar que los medios de comunicación presentan como cifra de la estética aborigen (guardas en zigzag, vinchas tipo apache, colores estridentes, etcétera).

3. La escisión

La tercera propuesta asume la ruptura de la pareja forma/función a través de dos tendencias que privilegian uno u otro de los términos que la conforman:

a. El esteticismo. Ante la supuesta extinción del arte popular, esta tendencia busca salvar las formas estéticas aunque sus funciones sean sacrificadas (de buena gana en algunos casos). Esta posición se afirma en el margen abierto por el desfase entre la creación artística y las condiciones sociales de su producción, desacople que avala cierta autonomía de lo estético con respecto a la función y permite un movimiento de inercia por el cual algunas formas continúan repitiéndose, independientemente de la obsolescencia de las funciones que las convocaban. La continuidad de formas desplegadas en el vacío se explica por el fuerte arraigo cultural de ciertas expresiones que pueden seguir sobreviviendo con tozudez a su propia vigencia funcional. El fenómeno, característico de toda creación artística, se vuelve más notorio en el plano de la práctica popular, donde las formas tienen una mayor dimensión social. Escribe al respecto Giménez:

> En la medida en que constituye un sistema de disposiciones duraderas, el *habitus* o ethos de clase puede explicar también la persistencia de formas y prácticas culturales aun después del deterioro o de la desaparición de sus bases materiales. En otras palabras, puede explicar el desfase frecuentemente observado entre base económica y superestructura ideológico cultural (Giménez, 1978: 229).

Es que, además de los factores señalados, deben ser considerados los ritmos propios y los tiempos particulares que mueven la cultura popular tradicional, así como una tendencia más conservadora suya a repetir las pautas comunitarias. Ambas situaciones promueven que esa cultura, aun enfrentada a circunstancias nuevas, pueda seguir generando respuestas formales correspondientes a situaciones anteriores; en esos casos, las formas se hallan desencajadas de sus contenidos funcionales. La propuesta considerada ahora detiene el arte popular en ese interregno y propone que se sostenga apoyándose en las meras formas, dotadas así de características asimilables a las de la inutilidad del arte erudito (en el sentido kantiano del término). La misma tendencia subyace en cierta valorización actual del arte popular que, privilegiando la apreciación de sus aspectos estéticos, promueve el olvido de los contenidos rituales o los empleos utilitarios. Aunque esta promoción significa un estímulo de la creatividad y un reconocimiento de las posibilidades artísticas de la práctica popular, instaura un dualismo entre forma y función que altera el mecanismo de la producción comunitaria y tergiversa su sentido.[9]

9. Bajo este punto se debaten los intentos de "salvar" el arte popular desde un lugar ajeno a su práctica, pero esta discusión no desconoce el derecho de los creadores de subrayar tal o cual momento de los procesos que impulsan.

Dos personajes del *Guaykurú Ñemondé,* festividad patronal durante la cual los oficiantes se cubren de plumas para representar a los antiguos caduveo guaykurú. Fotografía: Fernando Allen, Compañía Minas, Emboscada, 2011. Archivo del autor.

b. El funcionalismo. Si el esteticismo busca sobreponer las formas a sus funciones, el funcionalismo decide sacrificar los aspectos estéticos en aras de una supuesta mejora de la calidad técnica del producto, capaz de asegurar su supervivencia al permitirle acceder a un mercado más exigente. Esta solución es característica del desarrollismo: privilegia el nivel comercial de la "artesanía" y, por consiguiente, la factura técnica y la mera funcionalidad del objeto, en detrimento de sus posibilidades expresivas, alcances identitarios y su encuadre histórico. En el Paraguay, el programa que el Banco Interamericano de Desarrollo (BID) lleva a cabo a través del Consejo Nacional de Entidades Benéficas (CONEB) ofrece un claro ejemplo de esta dirección tecnocrática: a través de la contratación de técnicos extranjeros e importantes financiaciones, se desarrollan proyectos para la "promoción de las artesanías" con total desconsideración de toda implicancia simbólica. Sus lamentables resultados oscilan entre un tipicalismo irredento y una "artesanía urbana aplicada" que coinciden en el *kitsch* insípido que hermana todas las adulteraciones.

Ubicadas en la perspectiva de la cultura dominante, las posturas recién señaladas intentan cautelar las manifestaciones populares aislándolas de su contexto, fragmentando sus prácticas, priorizando arbitrariamente ciertos aspectos suyos (ya el momento estético, ya el funcional) y trivializando sus sentidos complejos. Dejando de lado algunas acciones bienintencionadas que se mueven dentro de ellas, estas tendencias sirven a la cultura hegemónica, que trata de redimir en clave paternalista o salvar para su beneficio las expresiones de populares. Por eso las convierte en trofeo, en objeto científico, en mercadería o en *souvenir*; las rescata bajo la condición de que circulen a través de sus instituciones (boutique, tienda turística, galería, museo)[10] y se doblegen a sus expectativas nostálgicas (primitivismo,

10. El museo que la cultura dominante tiene destinado a la popular no es el de arte, sino el de folclore, etnografía, antropología o historia.

exotismo, autenticidad, referencias a la tradición colonial, etcétera). Desde este ángulo, es obvio que la única opción de supervivencia que tendría el arte popular sería la de engancharse como furgón de cola a una modernidad ajena o la de atrincherarse en algún momento del pasado y renunciar a todo proyecto histórico. Por eso estas propuestas son paternalistas: desde afuera dictaminan cuáles son los requisitos que debe cumplir el arte popular actual (si está o no autorizado a firmar sus productos, si puede o no introducir innovaciones, si debe o no ser vendido), desde afuera deciden su suerte (o su muerte) y desde afuera prescriben cambios o ensalzan proyectos cuyos alcances solo a la comunidad compete decidir.

La inexorable modernidad

Los apocalípticos augurios de extinción del arte popular se fundamentan en un veredicto inapelable: dado que las formas populares significan solo un producto del precapitalismo y no tienen posibilidades de cambiar sino dentro de los márgenes de ese modelo, entonces están destinadas a desembocar en una modernidad ineludible que terminará por arrasar sus manifestaciones y borrar todos los vestigios tradicionales. En contra de esta sentencia, el discurrir de conceptos y de historias empuja a admitir que: 1) ni todo lo popular es precapitalista; 2) ni la cultura dominante puede (ni pretende) disolver todas las formas sociales e imaginarias diferentes; 3) ni los sectores populares constituyen entes pasivos incapaces de réplica y resistencia; 4) ni los diversos sistemas sociales determinan de modo ineludible y absoluto el destino de una cultura. Aunque casi todos estos puntos quedan ya señalados, conviene volver ahora sobre ellos rápidamente para ordenar la exposición de este capítulo:

1. Los acapitalistas

En el Paraguay, como en otros países latinoamericanos, solo las comunidades rurales y étnicas (que son las que corresponderían a la categoría "precapitalismo") producen manifestaciones clasificables como "arte popular" según la definición utilizada en este texto. Desde ya, este hecho no supone desconocer el potencial expresivo de otros sectores ni su posibilidad a fundar o ensanchar espacios de creación poética; solo delimita una modalidad específica de producción estética, característica de aquellos sectores tradicionales calificados como "precapistalistas". Por otro lado, en América Latina, la embrollada imbricación de diversos tiempos históricos provoca una trama tan enmarañada que muchas formas culturales actuales cabalgan firmes entre uno y otro lado de la historia o brotan en el umbral incierto que las une o separa; no es tarea fácil aislar lo precapitalista puro. En este sentido, dice García Canclini que "las artesanías son y no son un producto precapitalista"; su doble inscripción "histórica (en un proceso que viene desde las sociedades precolombinas) y estructural (en la lógica actual del capitalismo dependiente) es lo que genera su aspecto híbrido" (García Canclini, 1986a: 104).

Pero, además, el propio término "precapitalista" presenta problemas. En cuanto toma como único parámetro las sociedades modernas occidentales, se aviene mal con procesos históricos diferentes, que no tienen por qué ser definidos por su ubicación rezagada respecto de un punto adonde no necesariamente se dirigen. Bartolomé y Robinson dicen que el esquema según el cual las sociedades indígenas son vistas como precapitalistas las integra a la historia y al devenir económico de Occidente y las presenta en una posición de retraso en relación con esta historia, mientras que, en realidad, "las sociedades indígenas menos afectadas por el colonialismo son *acapitalistas* y no *precapitalistas*. Por lo tanto, estas constituyen un modelo *per se* de una alternativa societal y política distinta a la que maneja la historia económica y cultural de nuestra sociedad" (Bartolomé y Robinson, 1971: 296). También Colombres, para referirse a la cultura popular, prefiere hablar de acapitalismo antes que de precapitalismo, pues el prefijo que encabeza este último término parece anunciar un destino ineludible y único (Colombres, 1986: 26).

2. El divino dominio

La utilización del concepto de hegemonía sirve para cuestionar el mito que convierte lo dominante en una fuerza todopoderosa, capaz de cubrir todos los espacios y devorar cuanto se le ponga al paso. García Canclini, a quien seguimos en este punto, discute la "concepción teológica" que considera el capitalismo como omnipotente, como un ser supremo que todo lo controla y todo lo penetra, y sostiene que, en sociedades tan complejas como las del capitalismo periférico, los procesos socioculturales son resultado del conflicto entre diferentes fuerzas:

> Una de ellas es la persistencia de formas de organización comunal de la economía y la cultura, o restos de las que hubo, cuya interacción con el sistema dominante es bastante más complejo de lo que suponen quienes hablan únicamente de penetración y destrucción de las culturas autóctonas. [...] La expansión capitalista supraurbana, su necesidad de estandarizar la producción y el consumo, encuentra límites en la configuración específica de cada cultura y en el interés del propio sistema de mantener formas antiguas de organización social y representación; la cultura dominante preserva bolsones arcaicos refuncionalizando y recontextualizándolos (García Canclini, 1986: 105).

Así, aunque no sirvan directamente al desarrollo de sus nuevas fuerzas productivas, ciertas formas precapitalistas resultan necesarias al sistema para permitirle una reproducción equilibrada; actúan como principio de cohesión de grandes sectores, recurso suplementario de ingresos en el campo y factor de renovación del consumo y atracción turística (García Canclini, 1986: 104). Queda claro, entonces, que la continuidad de pautas tradicionales no corresponde solo a procesos de preservación activa de lo propio y resistencia de la modernización compulsiva de zonas rurales e indígenas, sino a políticas hegemónicas que precisan zonas de diferencia y pasan por alto (o incluso promueven) la continuidad de modalidades culturales no modernas.

Un hombre tomáraho ishir representa a Tiribo, el dios cazador. Lleva pinturas corporales, diadema de piel de jaguar, máscara de fibras vegetales y gran tocado plumario. La tipología del atavío ceremonial se mantiene desde épocas precoloniales. Fotografía: Ticio Escobar, Potrerito, Chaco paraguayo, 1989. Archivo: Departamento de Documentación e Investigaciones del Centro de Artes Visuales/Museo del Barro, Asunción.

3. Los contornos de la diferencia

No todas las manifestaciones alternativas resultan beneficiadas con la vista gorda o, incluso, el estímulo otorgado por determinadas estrategias políticas del mercado. En la mayoría de los casos, el precio que deben pagar las formas tradicionales para que se les perdone la vida es su adaptación al régimen del mercado. Esta exige pulir las formas que no encajen en su ordenamiento y desviar la dirección de las que incomoden su rumbo: la folclorización y la invasión, la tergiversación de los significados y el socavamiento de las bases simbólicas son estrategias características que ya fueron mencionadas; mediante ellas, la cultura hegemónica segmenta el campo de la cultura subalterna, aísla sus elementos, los manipula y los reacomoda según sus propios intereses.

Pero, como también queda señalado, la cultura popular no se encuentra conformada por un cuerpo blando y plástico que absorbe, sumiso, las señales invasoras y cede con docilidad a sus presiones: ella no solo es seducida, sino que también se deja seducir; claudica y se abandona: no siempre sus intereses se muestran tan claros ni son tan estables los linderos que la separan del campo adversario. Por eso también incorpora y hace suyos tantos elementos lesivos y recibe, halagada, presentes griegos diversos. También queda señalado que las propias contradicciones del sistema dominante incuban en su interior microespacios de disenso que facilitan el ejercicio de la diferencia cultural.

El pensamiento de que el arte popular está irremediablemente destinado a desaparecer ante los embates de la industria cultural se alimenta, en parte, de una aplicación abusiva de las teorías críticas de la escuela de Frankfurt, para la cual el avance incontenible de la nueva cultura devasta el campo de las tradicionales cancelando sus diferencias y particularidades. Por cierto, los frankfurtianos reaccionaban desde supuestos diferentes a los que hoy condicionan la producción de formas tradicionales; por eso, Brunner sostiene que, antes que aplicar sin más aquellas teorías críticas, deberíamos preguntarnos por el sentido específico que tiene la industria cultural en América Latina:

> De entrada [...] la crítica europea de la industria cultural nunca estuvo ligada a un discurso sobre la subsistencia de las culturas populares. [...] Todo lo contrario: lo que denuncia es que la industria cultural destruye la alta cultura, subsumiéndola bajo una nueva forma de cultura de masas. En los países periféricos y atrasados, en cambio, la industria cultural opera sobre vastas zonas de cultura popular (Brunner, 1985: 30-31).

La apocalíptica sentencia que condena el arte popular descubre, una vez más, las simplificaciones que genera la aplicación de un concepto a modelos culturales que no le corresponden. En este caso, la transferencia de las tesis críticas crea una oposición maniquea entre cultura popular (inocente y buena en sus orígenes) e industria cultural (alienante, fatalmente corruptora). La una sería materia manipulable y pasiva, presa indefensa; la otra, avalancha incontenible y destructora. Pero en el ámbito nublado de los conflictos culturales, las oposiciones nunca son tajantes. La ambigüedad del espacio del arte popular arriesga la claridad de su concepto, pero también cautela su diferencia: configura una escena paralela, perturbada por meandros y escondrijos; un paraje residual sin fronteras y sin puertas donde los símbolos del pueblo se mimetizan protegidos por la confusión de sombras e imágenes híbridas, se agazapan, se refugian y crecen más allá del control, el interés o el alcance de la cultura dominante.

4. El futuro de las formas condenadas

Por último, el intento de definir el arte popular como expresión de determinado sistema sociocultural (en este caso, el modo de producción precapitalista) suele suponer una simplificación mecanicista de los procesos de significación, identificados definitivamente con las circunstancias históricas que los condicionan. Dado que tales circunstancias son siempre adversas para las culturas tradicionales, estas parecen sentenciadas a la extinción.

La situación de los pueblos paleolíticos puede ilustrar bien este punto. Tomemos como ejemplo el caso de los zamuco (ayoreo e ishir), compuestos por grupos cazadores y recolectores que habitan el Chaco paraguayo. Su situación es complicada porque hoy ya no hay lugar para cazadores; la expansión de la sociedad nacional restringe cada día los bosques y extingue especies animales: persiguiendo un tapir o un pecarí, el rastreador se tropezará en algún momento con los alambrados de una estancia de la infinita Compañía Carlos Casado, con el anuncio de un poblado menonita o misionero, con una carretera o una pista de aviación; entonces, toda una experiencia civilizatoria entra en crisis.

La cuestión puede ser planteada así: la estructura simbólica de cualquiera de esas comunidades se organiza a partir de una condición determinada; a ella responden los mitos y ceremonias, las formas artísticas y sociales. Por ejemplo, el Debylyby, el ceremonial de los tomáraho (un grupo ishir) constituye, en parte, un rito propiciatorio. La misteriosa fiesta de los *anábser*, los seres sobrenaturales, invoca buenas presas y frutos abundantes a través de la irrupción brusca de fantasmas de cuerpos rojos, blancos y negros, de cuerpos impresos o listados; a través, por fin, del profundo coro de gritos que se desdobla repitiéndose, idéntico, en puntos distintos de la aldea y, desde el círculo ceremonial, se arrastra hasta el bosque, se estira en un largo murmullo y estalla en un enjambre de chillidos de pájaros y aullidos de bestias, en un clamor de voces de espíritus que espantan a niños y garzas.

Hoy, huyendo de la explotación de los obrajes y dejando atrás sus montes devastados, los tomáraho comienzan a sedentarizarse en su nuevo hábitat de Peishiota y deciden –no les queda más remedio– volverse, en parte, agricultores. Es un cambio brusco y tajante: supone pasar de golpe a otro estadio, a otro tiempo. Por ahora siguen aún representando el ceremonial sin mayores trasformaciones; es demasiado pronto como para que el rito acuse el impacto de la nueva historia. Pero ¿qué pasará después con esta ceremonia de cazadores/recolectoras? ¿Se extinguirá brusca o paulatinamente? La posición que criticamos responderá que, después, nada; que tal ceremonia está armada con formas condenadas, con andamiajes anacrónicos que en breve se derrumbarán siguiendo la suerte de los sistemas (paleolíticos) que los sostenían. Esta respuesta sería verdadera si el cambio, impuesto de forma compulsiva, no dejara margen alguno para que la comunidad pudiera reinterpretarlo. Esto no ocurre siempre, pero, lamentablemente, ocurre. Analicemos el caso de otros dos grupos ishir (los ebytoso). Su reciente historia muestra la muerte brusca del ritual cuando la comunidad es vaciada por los misioneros o minada por la explotación: en Puerto Esperanza, una comunidad ha sido despedazada por sectas fanáticas. Los indígenas que la integraban ya no tienen imágenes comunes y perdieron el deseo de soñarlas. En Puerto Diana se encuentra asentado otro grupo ebytoso; socavado por ganancias y creencias extranjeras, es ahora una sombra de la historia que lo avergüenza, semillero de mano de obra barata, carne de prostíbulo. Como tantas otras, estas comunidades han perdido la vitalidad simbólica, la fuerza para interpretar las nuevas condiciones.

Cabe analizar ahora la otra situación, la que ocurre cuando el grupo conserva un espacio de producción significante. En este caso, la comunidad puede reconstruir un imaginario social que incluya las nuevas condiciones; entonces se reacomoda el culto, se adaptan las explicaciones de los orígenes y surgen otras figuras para nombrar situaciones recientes. Suponer que las matrices de sentido de las culturas están definidas en forma absoluta por condiciones sociales "originarias" implica moverse aún dentro del mito de que los mitos no tienen historia. Sin embargo, los relatos tomáraho explican hoy la aparición de los blancos, de los caballos, del avión y de las armas de fuego, y narran la participación de los héroes míticos en la Guerra del Chaco (1932-1935). Y muchos viejos ebytoso mantienen aún a los anabser como polizones escondidos en la nueva religión: identifican a Ashnuwerta con la Virgen y a Nemur con Jesucristo, y explican el ocaso de la propia cultura como el cumplimiento de la maldición del último anábsoro.[11]

Refiriéndose a este tema, y evocando la vieja hipótesis de Lévi-Strauss que Clastres aplicara al estudio de la cultura aché, Miguel Bartolomé supone que los zamuco pudieron haber sido grupos arcaizados, antiguos agricultores vueltos cazadores por la presión de nuevas condiciones históricas. La original matriz cultural neolítica se habría reacomodado, así, a la situación paleolítica (lo cual, desde una perspectiva evolutiva, significa una regresión). Y compara este caso con el de los agricultores araucanos que, huyendo de los estragos que las guerras fronterizas causaban en sus territorios, se instalaron en el siglo XVIII en la Argentina y se volvieron cazadores ecuestres, primero de ñandúes y luego de vacas

11. Estas figuras se refieren a las divinidades superiores del Olimpo ishir; Nemur había lanzado una maldición mítica a los seres humanos luego de que el orden simbólico quedara establecido y los anábsoro –las deidades– fueran exiliados del mundo humano. Los ishir interpretan que, en parte, esa maldición se está cumpliendo en la condena al exterminio que pesa sobre su pueblo. [N. de E.]

cimarronas, hasta convertirse, por último, en pastores sedentarios. Por eso, en el ritual araucano contemporáneo se advierte la coexistencia de diversos mundos estratificados: es esencialmente una ceremonia de agricultores a la que se le agregaron votos propiciatorios de recolección y sacrificios de animales (originados en la experiencia de cazadores-recolectores) y, luego, formas correspondientes a su actual estatuto de pastores. Es poco probable, imagina Bartolomé, que un judío o un cristiano de Nueva York recuerden hoy que el culto que están practicando corresponde en sus orígenes a una religión de pastores, readaptada, crecida y vuelta otra sobre el fondo de su universo cultural primero.[12]

Escena de la festividad patronal de San Pedro y San Pablo, celebrada paralelamente a las ceremonias litúrgicas. La versión popular incorpora la representación de sucesos de actualidad. Fotografía: Ticio Escobar, Compañía Itá Guasú, Altos, 1986. Archivo: Departamento de Documentación e Investigaciones del Centro de Artes Visuales/Museo del Barro, Asunción.

¿Qué es la materia del arte occidental, al fin y al cabo, sino un cúmulo de residuos, de diferentes sustratos y formas pertenecientes a otras historias, a sistemas sucumbidos, a situaciones hace mucho olvidadas? Aunque hoy las condiciones del arte contemporáneo sean otras, aunque le pesen

12. Tomado de una entrevista mantenida con Miguel Bartolomé en abril de 1987 en torno a la actual situación de los ayoreo, reducidos por la fuerza a las misiones de la secta *New Tribes*.

Posteriormente, en 1988, esta entrevista fue publicada en el libro *Misión: Etnocidio*. [N. de E.]

formas y lo lastren métodos considerados caducos, sus imágenes siguen asumiendo los presupuestos de la Ilustración. Pero tampoco las formas ilustradas brotaron de la nada, sino que se construyeron sobre signos previos que habían sobrevivido a sus destinos: formas fugitivas de sus propias historias, refugiadas en otros tiempos donde lograron establecerse y reproducirse. ¿Cuántos remanentes de sistemas olvidados sedimentan la iconografía contemporánea, los códigos visuales vigentes, las técnicas aún utilizadas? ¿Cuántos símbolos paleolíticos, pastoriles o feudales, nutren el embrollado patrimonio que reivindica el arte de Occidente?

Por eso, si aquella olvidada comunidad tomáraho logra mantener abierta la posibilidad de generar sentido, podrá, en tensión con la historia, contestar los desafíos que esta le traiga y reformular viejas formas o sustituirlas por otras nuevas que estarán siempre alimentadas de los detritos de aquellas y animadas por sus fantasmas.[13]

Dibujo a bolígrafo de Osvaldo Pitoé, guaraní chaqueño, 2006. La obra, que representa nuevas pautas subsistenciales, corresponde a una expresión surgida en la última década entre los indígenas guaraní y nivaklé de la comunidad Cayim ô Clim, Chaco paraguayo. Colección: Museo de Arte Indígena del Centro de Artes Visuales/Museo del Barro, Asunción.

13. Luego de veinte años del cambio relatado, el ceremonial de los tomáraho continúa siendo representado. Algunas formas se han perdido, y otras han cambiado o se han reinventado. [N. de E.]

Los dueños del símbolo

De lo desarrollado hasta ahora en este capítulo puede inferirse que la cuestión no radica en si se debe conservar, proteger, superar o cambiar el arte popular; planteado así el problema, sin incluir la perspectiva ni la participación de los sectores populares, llevaría siempre a soluciones populistas y tuteladas. La discusión sobre el destino del arte popular debe ser propuesta considerando su propio proceso de constitución. Una obra no es popular por cualidades inherentes suyas, sino por la utilización que de ella hagan los sectores populares; mientras estos mantengan el control de su producción, el objeto seguirá siendo una pieza de arte popular aunque cambien sus propiedades, sus funciones y sus rasgos estilísticos. En tanto que los pueblos sean los protagonistas de su propia producción estética, seguirán generándose formas, tradicionales o no, de arte popular. Y el destino de cualquiera de estas formas dependerá de que se encuentre o no avalada por un cuerpo de representaciones colectivas, de que la comunidad pueda o no sentirse reconocida en esa forma, de que cuaje o no momentos de su identidad y de su experiencia, de que se vincule o no con su sensibilidad y su historia. Las nuevas condiciones que separan al campesino y al indígena de sus productos crean dificultades serias. Pero ese desfase no debería ser considerado como la trasgresión de una norma, sino como la expresión de un conflicto que puede tener muchas soluciones.

Ya desde los primeros tiempos coloniales hubo una intensa producción de piezas que escapaban al sistema de autoconsumo y trueque, tales como las imágenes religiosas creadas para altares familiares y capillas de los pueblos, y algunos artículos que, por caros y suntuarios, eran utilizados más por los criollos acomodados que por el campesinado.[14] Todas es-

14. Por ejemplo, el ñandutí, fino encaje que adornaba altares y vestidos elegantes; la orfebrería en oro y plata (mates, aperos y joyas), los muebles con taraceas y embutidos, las puertas ricamente labradas, productos todos estos

tas son expresiones impregnadas del espíritu sobrio y simple que caracteriza en el Paraguay el arte campesino; son formas populares, aunque su consumo no coincida exactamente con el de la comunidad que las creó.[15]

Cuando una comunidad campesina logra conservar el control de su producción simbólica y crear signos en los que se reconoce y mediante los cuales se expresa, esos signos son populares, aunque las nuevas condiciones económicas los desliguen de muchas de sus funciones. Un campesino no deja de ser campesino, ni deja su cultura de ser popular porque sus cultivos pasen a ser regidos desde una economía de subsistencia a una de mercado. Y su producción artística no puede ignorar ese cambio: se reubica ante él, discute sus términos, se readapta a ellos.

El mercado capitalista conforma un espacio provisto de determinadas propiedades. Cualquier objeto artístico que lo cruce se desdobla y una parte suya se convierte en mercadería, se fetichiza y se escapa. Ubicado en parte su trabajo en ese espacio, independientemente de su voluntad, el campesino se separa a medias de sus productos. Cómo responderá a esta situación para generar nuevas formas que enfrenten el conflicto es cuestión insoluble desde afuera. Por ahora, muchas de las modalidades anteriores (las regidas por la lógica del valor de uso) siguen vigentes, empujadas por un impulso propio que, evidentemente, no bastará para sostenerlas en el vacío mucho tiempo. Pero la imaginación popular ha logrado sortear retos por lo me-

---

que se difunden desde fines del siglo XVIII a requerimientos de una nueva burguesía comercial, más refinada que la derrocada fracción comunera.

15. Lauer sostiene que "es el aspecto de producir adelantándose a una demanda que opera fuera de la localidad y la región (y del sector dominado) lo que constituye el rasgo característico, inicial, del ingreso de los creadores del precapitalismo a un mercado de otro tipo" (Lauer, 1982: 87). Pero en el Paraguay colonial y, sobre todo, en el republicano, la producción de los artesanos se adelantaba a la demanda en casi todos los casos que recién mencionamos: por ejemplo, los plateros negros que vivían en los alrededores de Asunción, los imagineros, los ebanistas de Itá, las bordadoras de ñandutí, etcétera, acumulaban productos para la venta fuera de la comunidad.

nos tan difíciles como este. Las comunidades saben que, mientras tanto, se vuelve necesario conservar una básica reserva simbólica para resistir el trauma de los bruscos impactos nuevos y nutrir la capacidad de generar otras formas; se prenden, por eso, al hilo de una experiencia que hilvanó tantas figuras y sostuvo tanta memoria. Desde la base de una historia segura resulta más fácil intentar nuevos rumbos.

Niño mbyá coronado con una diadema de plumas que rompe con el modelo tradicional de la etnia. El empleo de nuevas pautas plumarias, proveniente de pueblos asentados en el Brasil, corresponde a un movimiento reciente de grupos guaraníes que asumen una estética efectista en ocasiones de encuentros políticos con la sociedad envolvente. Fotografía: Ticio Escobar, I Encuentro de Pueblos Guaraníes, comunidad Tekohá Añeteté, Estado de Paraná, Brasil, 2010. Archivo: Departamento de Documentación e Investigaciones del Centro de Artes Visuales/Museo del Barro, Asunción.

A veces la imagen se desvanece al convertirse su objeto en otra cosa. A veces sucumben las formas ante la fuerza de desafíos aplastantes. Algunas ceramistas de Itá, por ejemplo, no pudieron enfrentar las nuevas condiciones que les planteaba el mercado y comenzaron a producir compulsivamente cientos de piezas idénticas; inexpresivas no por reiteradas, sino por opacas (son trastos mudos sin huellas de memoria ni deseo; a ellos no se les ha infundido pasión ni confiado secreto alguno).

Por eso es importante que ante nuevas situaciones, tantas de ellas adversas, los sectores populares se apañen para encontrar suelo firme desde el cual enfrentarlas. Es inútil bendecir o condenar alternativas desde una posición exterior a estos sectores; en la medida en que esas opciones puedan patrocinar recambios necesarios y avalarlos formalmente, serán válidas. En este sentido, la cultura popular tiene el derecho de usar todos los canales e instituciones (que, desde otros lugares, la interceptan e interpelan) y convertirlos en refugio, en trinchera, en cornisa de salvación o hasta, quizás, en base de impulso para posibles vuelos. Desde este punto de vista es incuestionable la decisión de utilizar el mercado y bregar por precios más justos que reconozcan el valor de la creatividad popular. Desde esta posición cobra un nuevo valor el intento de ensanchar todos los espacios que resulten útiles, aun provisionalmente, para resistir o elaborar nuevas formas.[16]

Pero la ampliación de esos espacios no basta. Si la energía última de las formas y el secreto de su eficacia se sustentan en la cohesión de la comunidad, entonces se debe, además, fortalecer la identidad social y apuntalar los imaginarios que aglutinan la comunidad. Es que si se considera que tanto la subalternidad –en cuanto posición desfavorecida en un campo conflictivo de fuerzas– como la autoafirmación comunitaria son rasgos básicos de lo cultural popular, entonces, conquistar terreno político, por un

16. Sobre todo en el caso de las culturas étnicas, el apoyo a la lucha por un ámbito propio de creación es tan fundamental como el derecho de reivindicar un espacio para vivir. La creación asegura la identidad del grupo y es fuerza de resistencia. Sometidas a procesos etnocidas, las comunidades se desvertebran y se pierden.

lado, y afianzarse hacia el interior, por otro, deben constituir los momentos inseparables del proceso de resistencia y crecimiento de la cultura popular y la única garantía de su continuidad. Por más adversa que resulte la escena histórica que lo condiciona, cualquier sector culturalmente afirmado podrá conservar sus espacios, ganar o negociar posiciones y conquistar protagonismo en la elaboración imaginaria de sus realidades.

Pero, además, la propia organización de los sectores populares, la afirmación de sus particularidades y la construcción de sus subjetividades comunitarias constituyen factores fundamentales para que puedan proyectarse sobre la sociedad civil, confrontarse con los otros sectores y articular sus luchas y reivindicaciones en función de intereses compartidos. Cuanto más afirmado respecto de su cultura se encuentre un sector, mejor podrá aportar a la construcción de un espacio público, por nocivas que fueren las fuerzas históricas que empujan en contra.

La modernidad del arte popular

Pero estas fuerzas existen y empujan bastante fuerte; el futuro del arte popular depende también de destinos ajenos. Porque si se admite que este arte puede cambiar y modernizarse, ¿de qué modernidad estamos hablando? Y esta pregunta cobra especial importancia en un momento en que se discute con vehemencia el sentido mismo de la modernidad. ¿Debe el arte popular uncirse a una temporalidad ajena para acceder a la modernidad o será que tiene derecho no solo a un ingreso propio en la modernidad, sino a una modernidad propia?

Esta pregunta complicada remite una vez más a aquel problema característico de toda producción cultural latinoamericana encuadrada en proyectos y categorías extrañas. El hecho de que el arte popular, entendido en gran medida como precapitalista, sea considerado hoy desde un punto ambiguamente denominado posmoderno, ilustra bien el riesgo de que termine disuelto en un espacio fantasma desarrollado entre un *pre* y un *pos* que marcan el antes o el después de experiencias e ilusiones extranjeras.

Una crítica de la modernidad en América Latina debe ser vista, entonces, más desde la perspectiva de una experiencia adulterada e incompleta que desde la de un momento agotado. Lo moderno periférico no es corolario de procesos propios, sino consecuencia de imposiciones y seducciones, producto de dependencia y de consumo. Es una modernidad contradictoria, un proyecto a medias siempre forastero, movido tanto por el despliegue de una Razón apenas asumida como por las razones de un mercado omnipresente, más compartidas en sus costos que en sus rentas. Es una modernidad de segunda, orientada a monumentales programas de los que será siempre periferia; alumbrada por grandes ideas cuyos fulgores y beneficios llegan difusos a este lado del mar, a este costado oscuro de la historia.

Por eso, tanto como criticar la modernidad, cabe desde la periferia criticar su crítica, enunciada en los umbrales de una zona confusa, una escena espectral desde donde la conciencia moderna diagnostica su propia crisis y anuncia su autosuperación proclamándose ya en situación de *pos* de sí misma (en un gesto que, por cierto, reitera la omnipotencia y el narcisismo del momento que impugna). Devenimos, así, desesperadamente contemporáneos: aturdidos titulares de un estatuto de *pos* (posmodernismo) que por lógica debería ser adjudicado de manera retrospectiva. Este momento, sumido en las decepciones y desencantos que acarrea su propia impugnación de los mitos modernos, renueva el malestar heredado de la cultura de la que, con tanto afán, pretende desmarcarse.

Ahora bien, de ida aún hacia una confusa modernidad, las culturas periféricas no tienen en verdad por qué cargar con todas las consecuencias de procesos a los que asisten, en parte, solo como espectadoras pasivas, o en los que participan en el papel ya prefijado de perdedoras. Tanto el culto a un progreso indefinido, dependiente de modos industriales de producción, como la interesada glorificación de la razón tecnológica y la expansión avasallante del funcionalismo internacional, invadieron las historias latinoamericanas y dejaron frutos bastardos, terrenos uniformados –cuando no baldíos– y beneficios parcos –cuando los dejaron–. En realidad, los sectores populares de América Latina no terminaron de creer en el progreso sin fracturas ni retrocesos, ni tuvieron demasiada confianza en una Razón que, en realidad, nunca asumieron. Deben, pues, estar atentos para no pagar el costo de utilidades que no tuvieron tiempo (ni derecho) de percibir. "Condenados a vivir en un mundo donde todas las imágenes de modernidad nos vienen de afuera y se vuelven obsoletas antes de que alcancemos a materializarlas" (Brunner, 1985: 58), dispongámonos a sacar ventaja de ese escamoteo no pagando los platos rotos de banquetes ajenos. En esa perspectiva, los pueblos periféricos pueden resistirse a compartir la suerte que se autoasignan ciertas saciadas culturas centrales que, viéndose acorraladas en el brete de sus propios procesos, retroceden o intentan evadirse, sienten cancelada su posibilidad de anticipar otro tiempo y renuncian a reconocer en la práctica artística una manera de volver sobre la historia y rebatir sus verdades.

Las prácticas artísticas desarrolladas en América Latina no han agotado muchas experiencias ni transitado siquiera caminos que hoy parecen clausurados; no han compartido supuestos, historias ni valores, responsables de muchas frustraciones y desengaños; gran parte de ellas son producidas por sectores marginados, desconocidos casi, y se alimentan de otra memoria y otros deseos. Aún le quedan, pues, oportunidades para proponer proyectos a través de antiguos mitos o de símbolos recién adquiridos; aún tienen derecho a la utopía. Sin embargo, hoy puede resultar conveniente aprovechar ciertos momentos de la crítica de la modernidad vinculados con el reconocimiento de la alteridad (aunque, por supuesto, los derechos de la diferencia sean enunciados en el idioma del centro). Así, el cuestionamiento de la existencia de un solo modelo cultural, fraguado en los moldes de Occidente, permite conceder nueva atención a voces paralelas, a murmullos distantes, a silencios que arrastran demasiados gritos. Y permite volver a formular preguntas que han resonado siempre en las discusiones sobre el arte popular: ¿Qué destino último tiene ese arte en el gran engranaje de una historia globalizada? ¿Qué lugar asigna a sus formas rezagadas un programa que apunta siempre hacia delante?

Pero, apenas formuladas, el sentido mismo de estas preguntas suena hoy extemporáneo. Quizás el prestigio de la Razón se recupere pronto y busque esta otra vez enhebrar todas las cosas en nuevas totalidades y hermanar todas las imágenes en un solo recuerdo y todos los signos en un mismo molde. Mientras tanto, podemos aprovechar este resquicio, esta tregua tal vez, para detenernos en momentos menudos que no encajan en los proyectos universales ni gozan del aval del mercado, algunos jirones de culturas condenadas que sobreviven tercamente a decretos y previsiones.[17]

Es inútil preguntarse por el futuro de muchas formas brotadas al costado de una historia única. El hecho es que ahora mismo existen. Acorraladas y amenazadas, apoyadas solo en su propia memoria o en su puro presente, están ahí, latiendo vivas, reflejando, cada una, una porción entrecortada del tiempo. Cuando los caciques ayoreo son vencidos y llevados a las misiones, dejan sus coronas de pieles y plumas: han perdido el derecho y el orgullo de llevarlos. Cuando los chamanes ishir se acercan a las estancias para ofrecer su salud y su trabajo, ya no lucen guirnaldas ni pinturas. Pero los últimos chamanes y caciques libres buscan afanosamente las aves elegidas y confeccionan con paciencia y sin apuro complicados atuendos rituales que ya no usarán sus hijos, pero que ahora mismo pueden convocar la verdad efímera de su momento; pueden conjurar tiempos ajenos y capturar en su levedad insoportable un instante intenso y fugaz, hermoso y real como un relámpago.

17. Este último punto no se refiere ya a aquellos signos que pueden readaptarse a las nuevas circunstancias y crecer a pesar de ellas, sino a los que parecen no tener posibilidades de recambio.

BIBLIOGRAFÍA

Arditi, Benjamín (1987): *Estado omnívoro, sociedad estatizada. Poder y orden político en el Paraguay*, Asunción, Centro de Documentación y Estudios (CDE).

Arditi, Benjamín y otros (1986): *Comunidad cultural y democratización en el Paraguay*, Asunción, Rafael Peroni Ediciones.

Barthes, Roland (1981): *Mitologías*, México D. F., Siglo XXI.

Bartolomé, Miguel y Robinson, Scott (1971): "Indigenismo, dialéctica y conciencia étnica", en *Journal de la Societé des Americanistes*, Tomo LX.

Bartra, Eli (1983): "Retorno de um mito: a arte popular", en *Arte em Revista*, número 7 (agosto).

Baudrillard, Jean (1985): *El sistema de los objetos*, México D. F., Siglo XXI.

Benjamin, Walter (1973): *Discursos interrumpidos*, Madrid, Taurus.

Blanco, José Joaquín (1982): "Los intereses privados y la cultura popular", en *Culturas populares, política cultural*, México D. F., Museo Nacional de Culturas Populares.

Bobbio, Norberto; Matteucci, Nicola y Pasquino, Gianfranco (1981): *Diccionario de política*, tomo II, México, Siglo XXI.

Bogarín, Juan Sinforiano (1986): *Mis apuntes. Memoria de monseñor Juan Sinforiano Bogarín*, Asunción, Editorial Histórica.

Bourdieu, Pierre (1983): *Campo del poder y campo intelectual*, Buenos Aires, Folios.

Brunner, José Joaquín (1985): *Notas sobre cultura popular, industria cultural y modernidad*, Santiago de Chile, FLACSO-Chile.

Castells, Manuel (1979): "Clases sociales y crisis política en América Latina", en Raúl Benítez Zenteno (coord.), *Seminario de Oaxaca*, México, Siglo XXI.

Colombino, Carlos (1986): *Kambá ra'angá. Las últimas máscaras*, Asunción, Museo del Barro.

Colombres, Adolfo (1986): *Liberación y desarrollo del arte popular*, Asunción, Museo del Barro.

De Souza Chaui, Marilena (1986): *Conformismo e resistência. Aspectos da cultura popular no Brasil*, San Pablo, Brasiliense.

Dufrenne, Mikel (1982): "El arte y la ciencia del arte, hoy", en Dufrenne, Mikel y Knapp, Viktor: *Corrientes de la investigación en las ciencias sociales III: Arte y Estética/ Derecho*, Madrid, Tecnos/UNESCO.

Eco, Umberto (1981): *Apocalípticos e integrados*, Barcelona, Lumen.

Escobar, Ticio (1982): *Una interpretación de las artes visuales en el Paraguay*, tomo I, Asunción, Servilibro.

Févre, Fermín (1974): "Las formas de la crítica y la respuesta del público", en Bayón, Damián (ed.): *América Latina en sus artes*, México D. F., Siglo XXI.

Francastel, Pierre (1970): *La realidad figurativa. Elementos estructurales de sociología del arte*, Buenos Aires, Emecé.

García Canclini, Néstor (1977): *Arte popular y sociedad en América Latina*, México D. F., Grijalbo.

—— (1986a): *Las culturas populares en el capitalismo*, México D. F., Nueva Imagen.

—— (1986b): *¿De qué estamos hablando cuando hablamos de lo popular?*, Montevideo, Centro Latinoamericano de Economía Humana (CLAEH).

—— (1995): *Consumidores y ciudadanos. Conflictos multiculturales de la globalización*, México D. F., Grijalbo.

Giménez, Gilberto (1978): *Cultura popular y religión en el Anahuac*, México D. F., Centro de Estudios Ecuménicos.

Kant, Emanuel (1977): *Crítica del juicio*, Madrid, Espasa Calpe.

Laclau, Ernesto (2005): *La razón populista*, Buenos Aires, Fondo de Cultura Económica.

Lauer, Mirko (1982): *Crítica de la Artesanía. Plástica y sociedad en los Andes peruanos,* Lima, DESCO-Centro de Estudios y Promoción del Desarrollo.

Lévi-Strauss, Claude (1968): *Arte, lenguaje, etnología. Entrevistas con Georges Charbonnier,* México D. F., Siglo XXI.

Lyotard, Jean-Francois (1982): "La aproximación psicoanalítica", en Dufrenne, Mikel y Knapp, Viktor: *Corrientes de la investigación en las ciencias sociales III: Arte y Estética/Derecho,* Madrid, Tecnos/UNESCO.

Marchán Fiz, Simón (1974): "El objeto artístico tradicional en la sociedad industrial capitalista", en Aguilera Cerni, Vicente y otros: *El arte en la sociedad contemporánea*, Valencia, Fernando Torres.

—— (1982): *La estética en la cultura moderna. De la Ilustración a la crisis del estructuralismo*, Barcelona, Gustavo Gili.

Margulis, Mario (1984): "La cultura popular", en Adolfo Colombres (comp.), *La cultura popular,* Puebla, Premiá.

Martín-Barbero, Jesús (1987): *De los medios a las mediaciones. Comunicación, cultura y hegemonía*, México D. F., Gustavo Gili.

Merquior, José Guilherme (1978): *La estética de Lévi-Strauss*, Barcelona, Ediciones Destino.

Morínigo, José Nicolás (1986): "El impacto de la cultura urbano-industrial", en Conferencia Episcopal Paraguaya-Equipo Nacional de Pastoral Social: *El Hombre paraguayo y su cultura,* Asunción, Equipo Nacional de Pastoral Social.

Morpurgo-Tagliabue, Guido (1971): *La estética contemporánea: una investigación,* Buenos Aires, Losada.

Mukarovsky, Jan (1977): *Escritos de Estética y Semiótica del Arte,* Barcelona, Gustavo Gili.

Najenson, José Luis (1979): *Cultura nacional y cultura subalterna: dos categorías para la antropología de América Latina,* México D. F., Universidad Autónoma de México.
Negri, Antonio y Hardt, Michael (2002): *Imperio*, Barcelona, Paidós.
Nieremberg, Juan Eusebio (1640): *De la diferencia entre lo temporal y lo eterno*, Madrid, P. J. Alonso y Padilla.
Portantiero, Juan Carlos (1981): *Los usos de Gramsci,* México D. F., Folios.
Prestipino, Giuseppe (1980): *La controversia estética,* México D. F., Grijalbo.
Read, Herbert (1964): *El significado del arte,* Buenos Aires, Losada.
Salerno, Osvaldo (1983): *Paraguay: Artesanía y arte popular,* Asunción, Museo Paraguayo de Arte Contemporáneo.
Sepp, Antonio S. J. (1973a): *Continuación de las labores apostólicas. Edición crítica de las obras del padre Antonio Sepp S. J., misionero en la Argentina desde 1691 hasta 1733, a cargo de Werner Hoffmann*, tomo II, Buenos Aires, Eudeba.
—— (1973b): *Jardín de flores paracuario. Edición crítica de las obras del padre Antonio Sepp S. J., misionero en la Argentina desde 1691 hasta 1733, a cargo de Werner Hoffmann,* tomo III, Buenos Aires, Eudeba.
Weffort, Francisco (1979): "Clases sociales y crisis política en América Latina", en Raúl Benítez Zenteno (coord.), *Seminario de Oaxaca,* Instituto de Investigaciones Sociales de la UNAM, México, Siglo XXI.